新 潮 文 庫

イースト・リバーの蟹

城山三郎著

新 潮 社 版

目　次

イースト・リバーの蟹

本書収録に当たって、若干の加筆をいたしました。

著　者

イースト・リバーの蟹(かに)

1

低く電話のベルが鳴った。

岩堀が着替えを済ませ、リビング・ルームのソファに坐ったところであった。

手をのばし、岩堀はレモン色の受話器をとり上げた。

「副社長ですか」

相手は呼びかけてから、あわてていい直した。

「理事長ですね」

泰東商事の米州総支配人である小野寺の声であった。

岩堀はおだやかな口調でたしなめた。

「もういい加減に肩書などやめて、名前で呼んでくれよ」

岩堀は、日本で指折りの総合商社泰東商事に三十五年間つとめ、副社長に進んだが、

つい十ケ月ほど前、退任。同社がアメリカに設立した医学財団の理事長になって、ニュ

ーヨークに来ている。

財団は社のイメージ・アップをはかるためだが、もちろん、それだけではない。泰東商事ではいずれバイオケミカルに進出する予定で、その基礎固めのねらいもあった。それは数々の新路線を敷いてきた岩堀の置土産のひとつでもある。

潔く引退した形をとった以上、岩堀はつとめて泰東商事の社員たちと接触しないようにしており、同じニューヨークに住みながら、かつての親しい部下である小野寺の声を聞くのも、久しぶりであった。

「わかりました。……岩堀さん」

小野寺はいいにくそうに呼び直した後、すぐまた急きこんで、

「居られてよかった。いまからお宅へお伺いしたいのですが」

「何うといったって、きみ……」

岩堀はよほどのことがない限り、社員を自宅へ寄せつけぬことにしていた。

ひとつには、妻の園子が病身というせいだが、岩堀自身、社員とのプライベイトなつき合いはできるだけ避けようという考え方であったからである。

べとべとした人間関係が、岩堀は生理的にきらいであった。仕事は仕事で割り切る。仕事の匂いのする男を連れこみ、家庭の匂いをつけて帰すようなことはしたくない。

「冷たい」といわれ、「あれでも商社マンか」と笑われた。

「部下がなつかない」
ともいわれたが、
「そんなことでなつくような部下は犬猫同然だ。ぼくには必要ない」
といい切った。
「仕事の場で触れ合い、仕事を通して評価し合う。それだけで自分についてくる。そう
いう部下こそ本物だ、と思った。
　頻繁に家にやってくれば、情も移る。その結果、むしろ公平に部下に接することがで
きなくなる、とも思った。
　それに、園子が体調のせいもあって、客の接待をいやがった。一応、愛想よくもてな
してくれはするが、その前後に愚痴を聞かされるのが、岩堀にはやりきれなかった。
　物事は決めて押し切ってしまえば、やがてそれなりにまかり通ってしまう。
　海外駐在のときでさえ、岩堀家は社員たちに「聖域」と揶揄されるようになった。そ
れでいて一方では、小野寺はじめ岩堀に心服する部下もできた。小野寺もそれを承知のはずな
　会社をやめたところで、岩堀の気持は変わっていない。小野寺もそれを承知のはずな
のに、なぜ家へ……。
　問い返す間もなく、小野寺はいった。
「至急、副社長、いや岩堀さんに御報告し、御相談したいことが起きたのです」

「何だか知らないが、ぼくはもう泰東商事には関係のない身だよ」

やり過ごそうとすると、思いがけない小野寺の言葉が突き刺さった。

「上田社長が急に亡くなられました。いま東京から電話があって」

「まさか、あんな頑丈な男が」

「本当です。二時間前、心筋梗塞で。いま本社は大さわぎです」

2

「小野寺君が来るそうだ」

「どうして」

けげんな顔をする園子に、岩堀は小野寺の言葉を伝えた。

「信じられないわ」

園子は目をみはり、

「あなたと同じ六十一歳なのに」

口を開いたまま、岩堀を見た。後は声も出さない。上田の幻でも求めるように、暗い

窓に目を向けた。

窓の正面には、星を棚に並べたように、マンハッタンの摩天楼の灯がきらめいていた。

イースト・リバーが黒々と流れ、その対岸寄りには、塔状の灯影（ほかげ）の連なりがゆれている。

しばらくして園子は気をとり直したように、マントルピースの上の置時計を見た。

六時少し過ぎであった。

「こんな時間だと、何かお出ししなくてはね」

客のための料理づくりは気重なはずなのに、その声にはいつもにはないはずみがあった。

そのはずみを励ますように、岩堀はいった。

「出してやればよろこぶさ」

「……先刻（きっき）、マーケットで蟹（かに）を買ってきたわ。川でとれたばかりというから、少し多目に買ってきたの。甲羅揚げでもしようかしら」

「それがいい」

岩堀は大きな声を出した。園子も負けずにうなずき、

「あなたもお好きなことだし、わたし急いでがんばってみる」

キッチンに向かう園子のうすい背に岩堀はいった。

「由美が居たら、手伝わせたのに」

後姿のまま、園子はかぶりを振り、

「いいの。わたし、あの娘は当てにしていないから」

そういった後、ふり返って、

「いったい、あの娘いまごろどこで何をしているのかしら」

一人娘の由美は二十六歳。ニュージャージーの友達の家に行くといって、前日から帰らない。岩堀に似て上背もあり、顔立ちも整っている。親の目から見て、気立てもわるくないと思うのだが、縁遠かった。

岩堀夫婦はそうは思いたくなかったが、おそくできた一人っ子のため、ついあまやかして育てたせいもある。

それに何より幾度かの海外駐在のため、子供のころは日本語が不自由であった。そのくせ、はっきり物をいいすぎた。

こうしたせいで、由美は、日本人よりもペンフレンドをふくめた外人の友達の方が、つき合いやすいようであった。

財団理事長としての岩堀のニューヨーク赴任が決まると、由美は当然のことのように同行するといった。

「日本に残ってお婿さんさがしをしなさい」

と園子が冗談めかしながらも、かなり強くいったのだが、由美は、

「アメリカにだって男は居るわ」

「冗談じゃないわよ」

「なぜ、そんな言い方するの。アメリカの男は人間じゃないの」

岩堀は割って入った。

「できることなら、日本人相手にねがいたいというだけのことさ」

「できることなら、ね」

由美は鼻を鳴らし、園子は岩堀をにらんで、

「できることならなんて、あなたは自分だけいい顔したいのね」

　　　　3

小野寺が来たのは、それから四十分ほど後であった。

「はじめて来ましたが、割りに近いところですね。ただ、島へ入って車を置いてから、道がわからなくて」

「似たようなアパートばかりだからね。それに新しい街で住人まで新しいから、お互いにまわりのことがよくわからないんだ」

イースト・リバーに浮かぶルーズヴェルト・アイランド。忘れられていたようなその

島が、数年前よみがえった。

緑地帯と高層アパート群がつくられ、島内への車の乗り入れは禁止。車は橋から下りたところへ置き、後は徒歩か、電気自動車に乗りかえる。

半ば公営でつくられた大団地だけに、住民は平均的なサラリーマンが多く、岩堀のような身分には不向きだが、マンハッタンに近いし、治安もいいので、岩堀はあえてそこに住居を求めた。二十二階建アパートの十七階である。

挨拶を済ませると同時に、小野寺は切り返した。

その姿が消えると同時に、園子はキッチンへ引き返した。

「わたしは明日の一便で東京へ行きます」

本社の専務も兼ねており、当然のことだと思ったが、小野寺はすぐ続けて、

「副社長、いや、岩堀さんもぜひいっしょに東京へ戻って下さい」

「ぼくは……」

岩堀はゆっくり首を横に振り、

「財団の理事会を明後日に控えている。理事のアメリカ人たちにもわるいしね」

「しかし、急病で休むことだって。そのために副理事長も居ます。それに、財団はうちの子会社のようなものです。理事たちだってわかってくれますよ」

「いや、たとえそうだとしても、ぼくは行かない」

「どうしてですか」

「ぼくはもう泰東商事とは関係ない身だから」

「そうじゃありません。ふつうなら、社長になって居られたところです。いや、これからだって」

終りの一言に小野寺は力をこめた。

二人の視線が、斬り結んだ。

その視線を岩堀の方から外した。わざととまどった表情をつくり、

「すべて、済んだ話だよ」

小野寺がまともに岩堀を見つめた。岩堀の視線をしっかりとらえ、たたみかけて来た。

「終った話じゃなく、現に役員のお一人じゃありませんか」

「非常勤だよ。それも上田君がぼくへの餞（はなむけ）にくれた肩書に過ぎん。形式的なものさ。事実、ぼくは一度も役員会に出ていない。会社からも事務的な報告を送ってくるだけ。実質的に無役同然の身なんだ」

「そうじゃありません。岩堀さんがそんな風に思いこもうとしているだけです」

「……」

「それに、これまでの行きがかりはともかく、いや、行きがかりがあったからこそ、故

人のためにも葬儀に顔を出されるべきです」

「そうじゃない。ぼくが戻れば、せっかくの葬儀が妙になまぐさいものになる」

「いえ、岩堀さんが行かれようと行かれまいと、なまぐささはもうはじまっているんです」

「う」

十ケ月前、社長の南が八年間居坐った椅子から会長に昇格した。

新社長候補には、当時の副社長三人が一線に並んだが、この中、筆頭副社長の山村は南と変わらぬ高齢のため副会長となり、岩堀と上田の同期二人の争いとなった。

総務・業務関係の長かった岩堀は、泰東商事の多角化路線を推進し、早くから「泰東のプリンス」といわれた。

一方、営業畑の上田は、北米と中東でのかなり手荒な商売で大幅に業績をのばし、他社からは「上田嵐」とおそれられた。

二人の力は伯仲し、マスコミの予想も二つに割れた。銀行筋や大株主の意見もまた二つに分れ、社内でも両派が工作し合った。

結局、この争いは岩堀が自ら退くことで決着がついた。

「いまは社内で争うときではない。それに、時節柄、上田君の方がはるかに適任だと思

岩堀は記者会見ではっきりといい、支持者たちを口惜しがらせた。

上田からは筆頭副社長として社内に留まるよう要請されたが、

「二頭政治になりかねない」

と断わった。

「それに、次期候補者たちが育つのに妨げになる」

ともいった。

七、八歳年少の専務クラスから、三人がいっせいに副社長に昇格。　次期社長はその若

い層から選ぶ、という暗黙のとりきめがなされた。

「他人とは一味ちがう。　退き方までプリンスにふさわしい」

そんな喝采の声をひそかに期待もした。　いまから思えば、少しきれいごとすぎた。

親しかった部下たちに、岩堀は頭を下げて回った。

「相手を押しのけてまで、どうしても社長になろうという気はない。　これはぼくの性格

なんだから、勘弁して欲しい」

岩堀派と目された部下たちが、いずれ上田体制の下で陽の当たらぬ場所へ移されて行

くことは、目に見えていた。その点が気がかりであった――。

小野寺は、そうした岩堀派の専務や常務の名をあげていった。

「宇野からも平林からも、電話がありました。　腕ずくでも岩堀さんを連れて帰国しろ、

「あのときと同じように、みんな燃えているんです。おねがいします、副社長。ぜひも

う一度燃えて下さい。われわれみんなのために」

小野寺は両手をテーブルにつき、深々と頭を下げた。

熱意はわかった。岩堀派の部下たちが燃え上っていることも、よくわかった。だが

「……」

腕組みしたままでいる岩堀を見上げ、小野寺はいい直した。

「われわれのためだけではありません。会社のためです。三人の副社長はいずれも若す

ぎますし、いまさら山村副会長あたりの御老体にカムバックされても困ります。いまは

岩堀さん以外に考えられんのです」

「……」

「ぐずぐずして居られると、あの三人、いや四人も五人も動き出します。いや現に動い

ているのです。だから、ぜひ明日の一便で」

「……また争うわけか」

小野寺は黙ったが、すぐ声を励まして、

「社長の椅子はころがりこんでは来ません。奪い取る他ないのですよ」

「……それがぼくの性に合わない」

「まだそんなことを。とにかく至急帰って下さい」

「物欲しそうに見られに行くのか」

「どう見られたって構わないじゃないですか」

小野寺はたたみかけ、岩堀に熱い視線を向けた。

本当にただのひとかけらも物欲しくないのですか、とその目が問いかけているように岩堀には見えた。

ドア越しに、キッチンの物音が聞えた。

園子が珍しくいそいそと料理をつくっている様子である。

岩堀の心はゆれた。

十ケ月前の争いのとき、岩堀は園子にほとんど相談しなかった。

自宅でマスコミに会わぬことが知れ渡っていたため、直接、岩堀家へ押しかけてくる記者は少なかった。

そうした記者たちに、園子はインターホン越しに、

「わたしは何も存じませんので」

とくり返した。

禅譲を決めた二日ほど後、園子がぽつりといった。

「社長と副社長との間には、山の頂と麓ほどのちがいがあるそうね。何がそんなにちがうのかしら」

岩堀はおどろいて園子を見た。心外であった。進退はすべて男が決めるべきで、妻子が口をはさむことではない。これまでもずっとそうであったし、園子にもそれがわかっていると思った。

それに、岩堀が禅譲を決めたかげには、園子の健康への思いやりもあった。その気も知らないでと、岩堀は口をとがらせるようにしていった。

「……社長になると、余計な仕事ばかりどんどん増えるんだ」

答になっていないことは承知していた。

園子はうなずき、二度とそのことには触れなかったが、未練がすっかり消えた様子ではなかった。

4

「ここはすばらしい眺めなんですね」

一呼吸置くように、小野寺は窓の外を見た。はじめて窓のあるのに気づいた感じであった。

　岩堀も、窓に目をやった。

　摩天楼の灯は、相変らず空高くきらめき、川面にもゆれ続けている。

「ぼくらも引越してきた当座は、すばらしい眺めだと思った」

「いまはちがうといわれるのですか」

「見なれてしまうと、味気ない。川は別として、自然のものがひとかけらもないからね。すべて人工だ。鉄とコンクリートの塊りだと思うと、むしろいらいらしてきね」

　飽きるのは、眺めだけではない。たとえば社長の椅子だって、最初はすばらしいと思っても、坐りなれてしまうと……。

　岩堀はそんな風に続けたい衝動を感じた。

　小野寺が窓外に目を当てたまま、くり返した。

「しかし、やっぱりすてきな眺めですよ」

「そうかな」

「そうですとも。こんなにマンハッタンがきれいに見えるところなんて。たとえ人工だとしても、ここまで洗練されれば……」

「来た人はみんなそう言うがね、しかし住んでみると」

　園子がグラスや皿などを持って現われた。

「お酒は何になさいます」

岩堀は小野寺に向かい、

「きみは何がいい」

小野寺が答えるまでに、わずかだが時間があった。それは岩堀の胸にこたえる時間であった。

小野寺の好みはスコッチ。岩堀もそれにつき合う。すると、どういうことになるのか。岩堀は、酔いが回るにつれて気が大きくなったり、感激したりするタイプではない。まわりがしらける中で、いよいよ酒をあおり、ついには意識を失ったこともある。まわりがしらける中で、いよいよ酒をあおり、つまらぬ毒舌を吐いたりする。まわりがしらける中で、むしろ自虐的になり、皮肉屋になり、つまらぬ毒舌を吐いたりする。この大事な用件を話し合うのに、スコッチが適当かどうか。その迷いが小野寺の答をおくらせた。

小野寺は、まばたきして、いった。

「……わたしはビールを頂きます」

「それじゃ、ぼくもビールにしよう。もっとも、うちにはアメリカのビールしかないが、いいのか」

「結構です」

「そうでもないだろう。きみはアメリカのビールは水っぽくてまずい、といっていた」

「……いや、いまは口も乾いていますので」

「そうか」

本当のことをいってみろ。とにかく酔うまい、酔わせまいとしているのだろう——そんな風に続けたいのを、岩堀はこらえた。

園子がビールを運んできた。二人は互いに注ぎ合い、グラスを寄せた。

小野寺の唇が動いた。「出陣の盃を」とでもいいたそうであったが、結局漏れたのは、

「いただきます」という小声だけであった。

小野寺は一気にコップをあけると、

「岩堀さん、いや、副社長。今夜は副社長といわせて下さい。岩堀さんでは、何だか余所行きの話をしているみたいで、力が入りません」

「仕方がない。今夜限りだよ」

岩堀はさとすようにいい、ビールを注いだ。

小野寺はふたたびテーブルに両手を突いた。

「副社長、おねがいします。ぜひひわたしといっしょに御帰国を」

思いのこもった目で、まっすぐ岩堀を見つめる。

岩堀はグラスを置き、腕を組んだ。

「副社長、ほんとにおねがいします」

小野寺は声をふりしぼり、また頭を下げた。

岩堀は腰が浮きそうになるのをこらえた。

「しかし、やっぱり無理だね」

「どうしてです」

「とにかくぼくはこうして一線を……」

退いた身、といいかけるのをのみこみ、

「一線を劃す身なんだから」

「しかし、世間はそう見ていませんし、むろん社員の多くもそうは思っていません。副社長がとんで帰られたとあれば、これまでの行きがかりから、直ちに副社長中心の体制が動き出します」

「……非常勤の身なんだよ、いまのぼくは」

「しかし、つい十ケ月前までは、……」

「いまきみは過去形でいったが、実際それは過去の話なんだ。いまのぼくは、進んで乗りこむ気はない」

「……そうですか」

「ただし、きみらの気持はわかったし、有難いと思う。万一、社員や株主の多くが、きみらと全く同じ気持だということになれば、そのときはまた考え直してもいい」

「わかりました。要するに、副社長は自分からは動きたくない、ということなんですね」

「そう、まあそういうことなんだ」

「こんな二度とないチャンスに、副社長はまだそんなことを……」

キッチンのドアが開き、園子が大きなお盆を抱えて現われた。細面の顔がやや上気している。

盆の上には、やわらかなオレンジ色にモス・グリーンのにじんだ小型の蟹が、きれいに並んで湯気を上げていた。

「急ですので、ほんのお箸休め程度に」

「蟹ですか」

「ええ、イースト・リバーでとれたばかり。いきのいいところがとりえですわ」

「そうですか、この川で蟹がとれるんですか」

「下味をつけて、甲羅揚げにしてありますの。よかったら、甲羅ごとお召し上り下さい」

園子の言葉の終らぬうちに、小野寺はひとつをつかんで口に入れた。

「これはうまい」といい、残りを一気に食べてから、あらためて盆を眺め、

「たいしたものですよ。久しぶりです、こんなうまい物は」

「ずいぶん大げさな」

「いや本当です。この料理、奥さまが工夫されたのですか」

「近所のイタリア系の人に教わりましてね。味つけだけは少し日本風に……」

「いや、おどろきましたね、副社長」

岩堀はビールを注ぎながら、

「きみは万事オーバーだね。何におどろいたというのかね」

「……いまだから申し上げますが、実はわたしたち、奥さまがこんなに料理がお上手だとは思っていなかったのです」

「でも、これは料理などというほどのものではありませんわ」

「いや、味といい、やわらかさといい、抜群です。お料理上手の証拠ですよ」

「ありがとうございます、お世辞をいただくと、励みが出ますわ」

会話の続きを、岩堀は遮った。

「小野寺君、きみはうちの家内が料理などまるでできないと思っていたのじゃないか」

「いえ、そんなことはありません。ただ、奥さまは、お嬢さん育ちのインテリですし、それにお丈夫でない。むしろ、料理などばかになさっているのではないか、と」

「そんなことは……。わたしだって、女ですもの」

「もちろん、そうでしょうけど。つまり、他の役員さんのお宅とちがって、だれもよく知らなかったものですから、つい、そんな伝説が」

「つまらん伝説だね、しかし、こちらも家の中までオープンにしなかったのだから、仕方がない。ただし、その伝説を改めさせたとすれば、今夜の蟹もまんざらではないな」

「りっぱなものです。感激ですよ」

岩堀も蟹を口に入れた。だが、岩堀には、いつもとちがい、むしろ味がなかった。

「わたし、サラダなどを」

園子が去ると、小野寺は食べかけていた蟹を置き、岩堀を見た。酔いも回っていないのに、すわった目であった。

「くどいようですが、もう一度おねがいします。明日わたしと御帰国いただけませんか」

岩堀はうすく目を閉じ、その後、かすかにかぶりを振った。

小野寺はそれを見届けると、視線を落とした。

「そうですか。それでは、わたしたちもこれで終りです」

じっと蟹を見つめる。それでは、わたしたちもこれで終りです」

じっと蟹を見つめる。あまり強く見つめられて、蟹の脚が動き出すかと思われるほどであった。

岩堀は、小野寺のその目が涙ぐんでいるのに気づいた。わざと突き放すように、

「どうした、泣いているのか」

「なに、ちょっと……。蟹の湯気のせいでしょう」

小野寺は、グラスに溢れたビールを一息でのみ干した。まっすぐ岩堀に向き合うと、

「御馳走とビールのせいにして、言わせてもらいます。わたしは口惜しいのです」

「何が」

「言わなくても、わかっていただけるでしょうに」

「…………」

「わたしだけではありません。宇野も平林も森も……。何人、何十人、いや何百人もが、副社長が社長になることを望んで、それを夢見て、心の支えにして生きてきました。またオーバーと叱られるかも知れませんが、副社長となら死なばもろとも、という気持だったのです」

「…………」

「しかし、この前の時点であきらめてくれたはずだ」

「いえ、あきらめても、あきらめ切れるものではありません」

「…………」

「わたしたちは、副社長を慕って、同じエレベーターに乗り合わせてきました。上るのもいっしょなら、奈落の底へ落ちるときも副社長といっしょ。下りとわかって、みんな

が次々と降りて行っても、乗り続けてきました」

「そのエレベーターに最上階まで上って欲しいというのか」

「そうです」

間髪を入れず、小野寺はどなるように答えた。

岩堀はすぐには口をきけなかった。二人のグラスにまたビールを注ぎ、強い酒が欲しいと思いながら自分も一気にのみ干した。

その後、つとめて軽い口調で、

「エレベーターのたとえでいうなら、上るのはエレベーターの力じゃない。エレベーターは指示に従って、外部のモーターの力でただ上下するだけなんだ」

「……そうです。おっしゃるとおりです」

小野寺はうなずきながら、肩を落とした。

「きみたちは気の毒だが、エレベーターを乗りちがえた。運がなかったと思って、あきらめてくれ」

岩堀はとどめを刺した。

サラダを食べ終ると、小野寺は腰を上げた。

岩堀夫婦は、エレベーター・ホールまで送った。

「じゃ、ここで。いっしょには下りないからね」

微笑していうのに、小野寺はかたい表情で答えた。

「結構です」

エレベーターが来た。小野寺は園子に向かい、

「奥さま、今夜の蟹の味は、一生忘れません」

「有難うございます。そんなにまでいっていただいて」

小野寺は岩堀を見て何かいおうとしたが、ドアが閉じかけたため、あわててエレベーターへかけこんだ。

動き出したエレベーターが、岩堀には一瞬、奈落まで落ちて行きそうな気がした。

　　　5

「あのひと泣いていましたね」

客間に戻り、園子は小野寺の坐っていた椅子に腰を下ろした。小野寺同様、まっすぐ岩堀の目を見ていう。

話題をそらすように、岩堀が蟹に手をのばすと、いきなり、

「あなた、ほんとに社長になりたくありませんの」

いまさら何をいう、と腹を立てる元気もなく、むしろ、自分に言い聞かすように岩堀

はつぶやいた。

「みんなが推すならともかく、自分から乗り出す気はない」

園子は岩堀を見つめていてから、ふっと息をつき、

「あなたはそういうひとなのね」

無言の岩堀に、

「たとえ明日いっしょに帰国できなくても、社長になる、なりたい、と一言おっしゃれ

ば、様子はちがったのではないかしら」

「……どうちがう」

「少くともあのひとは泣いたりしないで、希望を持って帰ったわ」

「ぼくが彼等の希望まで奪った、というのか」

「……わたしにはよくわかりませんけど」

それだけいうと、園子は立ち上った。

「蟹の残りを揚げてきます」

岩堀は茫然(ぼうぜん)と坐っていた。坐っているだけで血が薄くなって行く気がした。

物足りない。いつもとちがい、小野寺相手に大事なことを言い忘れなかったか。

つらい思いで小野寺との会話を反芻(はんすう)してみた。そして、ふっと気づくことがあった。

岩堀の顔がかすかに明るくなった。それはごくつまらぬことであったが。

岩堀も小野寺もゴルフ好きで、東京では同じ倶楽部（クラブ）に属している。そのため、二人が会うと、話のどこかでゴルフの話題が出た。

それが、今夜はなかった。

すでに十一月も半ばを過ぎ、ゴルフシーズンでなくなったせいもあるが、ゴルフのことなど入りこむ隙（すき）もない今夜の会話であった。

二人が最近ゴルフの話をしたのは、つまり二人が会ったのは、四十日ほど前のことである。

そのとき会う早々、

「すてきなプレゼントを持ってきました」

と小野寺が岩堀に手渡したものがある。ミッドタウンの日本料理屋のメニューであった。

岩堀が首をかしげると、

「メニューの裏を見て下さい」

そこには、二行ほどの英文の筆跡と署名があった。署名は Tom Watson と読めた。

岩堀がいちばん好きなプロゴルファーである。

「たまたま先日友人にワトソンを紹介されたとき、思いついてワトソンの好きな文句を

書いてもらったのです。日本とちがって色紙がありませんので、手近のそんな紙に」

「有難い、何よりの贈物だ」

岩堀は押しいただいた後、のびやかな筆勢で書かれた英文を読んだ。そこには、

"Through Desire, Determination and Dedication, You will Succeed." とあった。

音読する岩堀に、横から小野寺も声を合わせた。

成功は欲望・決断・献身によって得られる――。平凡な文句だが、迫力があった。

思い当たるところもあった。とくに岩堀の場合、"Desire" が強いとはいえない。そ

れは小文字ではじめるか、あるいは一段小さな文字にしたいほどである。

感心した後、つい考えこんだのだが、そうした岩堀の姿を満足して見つめている小野

寺の視線に気づいた。

"Desire" は、社長になろうという岩堀に、「欲望を持ちなさい」「野心を」

と語りかけてくる。

小野寺たちにとっては、願ってもない文句、たのんで書いてもらったような文句では

ないか。

どうしても社長になろうという "Desire"。その "Desire" がなければ、どんなに「プ

リンス」と呼ばれて来ようと何事もはじまらぬと、小野寺の目がいっていた。

6

電話のベルが鳴った。

岩堀の胸は思わずときめいた。

また電話してきたのではないか。

それなら、もう一度会って話そう。

小野寺があきらめ切れずに、帰る途中のどこかから、

はじめから希望を絶つことはない。たとえ明日発(た)てなくても、決定的な「ノー」は取

り消す。

岩堀は体の中が熱くなるのを感じる。

受話器に手をのばそうとすると、一瞬早く、園子がキッチンで電話をとった。

岩堀は、すぐ受けられるように身を乗り出した。小野寺と話しているにしては、

だが、園子は電話を客間に切り替えては来なかった。

少し長すぎる。

岩堀の気分が冷えこんで行くのとは逆に、キッチンからの園子の声が高くなった。

そのあげくドアが開き、園子がそれまでになく紅潮したけわしい顔を出した。

「由美からよ。とんでもないことを……。わたしはいや。あなたが話して」

園子は両手で頭を抱え、椅子に坐りこんだ。

受話器からは由美の声が流れていた。

「パパ、わたし今夜もこちらへ泊るわ」

「こちらといったって……」

「大丈夫よ。それにいまママにも話したんだけど、わたし、マイケルに正式にプロポーズされたの」

「……いま彼といっしょか」

「もちろんよ。彼とは気が合うし、離れたくないもの」

マイケル・スミスは、由美が日本に居たときからのペンフレンドであった。由美より一つ年下で、ダウンタウンの小さな旅行代理店につとめている。赤毛の小柄な男で、岩堀も二度ほど会った。

口数も少なく印象の薄い男で、岩堀夫婦はつとめて話題にしないようにしてきた。反対するより無視することで、由美の熱を少しでもさまそうとしたのだが。

「由美はどう返事したんだ」

「イエスに決まってるじゃないの」

「そうか、あの男と結婚するのか」

岩堀はかたい声で訊いた。

「気に入らないみたいね、パパ」

岩堀はそれには答えず、吐き出すように、

「ついにアメリカ人と結婚か」

「そう」

答えてから、由美は声をかげらせ、

「日本人と結婚して欲しかったの」

「アメリカへ来るときにも、そういっておいたじゃないか」

「ノー。パパはできることならという言い方をしたわ。どうしても日本人と結婚しろ、とは言わなかった」

「……」

「はっきりそう言えば、わたしだって考えたのに」

「……」

「パパがよく言っていたのは、お互いに好きで責任のとれる相手と結婚しなさい、それがいちばんいい、パパとママの間だってそうだった、と」

岩堀は声も出ず、受話器に向かって小さくうなずいた。

由美がたたみかけてくる。

「パパが、どうしてもとは言えないひとだとわかってはいたけど、やっぱり本心は日本人と結婚して欲しいということだったのね」

「はっきり言ってくれればよかったのに、もうおそいわ、……わたしの中にはもうベイビイが居るんですもの」

「………」

電話が切れた。

7

受話器を戻す岩堀の手に、感覚はなかった。

「どうしてもということが言えないひと」ときめつけた由美の声が、まだ耳もとで鳴りひびいている。

その場に居て岩堀を見ようともしない園子の目にも、同じ言葉があった。

〈なぜ、どうしてもと言わなかったの〉

遠慮ばかりして。いや、恰好よく見られることばかり気にして。

岩堀も、声にならぬ声しか出なかった。

園子と結婚するとき、彼女が一年休学するほど体が弱く、その上、二人とも学生だというので、岩堀の両親は反対した。

「どうしても結婚したいのか」

と、父親に詰め寄られもした。

そのとき、岩堀はたしかに、

「はい、どうしても」

と答えた。

「親がどこまでも反対したらどうする」

「そのときは、二人でかけ落ちしてでも結婚します」

岩堀はきっぱり親に向かって宣言し、

「どうしても」

と言い切った。

ただ、泰東商事に入った後は……。

岩堀は目を落とした。

テーブルの上では、蟹の甲羅揚げがすっかり冷えてしまっていた。もはや、ばらばらとなった小さな死体でしかない。オレンジ色は褪せ、にじんだ緑もどす黒く変色している。大都会の傍を流れる川の生物にふさわしい醜い死体である。

岩堀は目を上げて窓を見た。

救いを求めるように、岩堀は目を上げて窓を見た。

そこには川を越して、癪にさわるほど変わらぬマンハッタンの風景があった。四季の変化にも染まらず、明ければいつも同じ建物、暮れればいつも同じ灯り、同じ明るさ。

この歳をして、あと何ヶ月、いや何年ここで過すことになるのか。灰青色の瞳をした孫を抱いても、孫には体温などありそうもない気がする。部屋中の光を集め、受話器だけがレモン色に輝いていた。黙りこんだ夫婦の間で、それは一向に鳴り出しそうになかった。

（「週刊宝石」昭和五十九年十一月九日号）

遠くへお仕事に

1

香港（ホンコン）、バンコクと着陸したあと、ダグラスDC8型機は、最終目的地のシンガポール

めがけて、とび立った。

〈また日本から遠くなる──〉

その遠くなる分だけ、半ば安堵（あんど）が、そして、半ばは別の不安が色濃くなった。

〈とび続け、とび続けて行く中に、気がついてみたら、自分が居なくなっている〉とい

った不安。人生がどんどん抹消（まっしょう）される方向へ運ばれているという思いである。

そうした思いをまぎらすように、窓に額をすりつけて眼下を見る。

広々とした緑の水田地帯。その中に、黒い豆粒のように、水牛の姿が散っている。

「観光ですか、お仕事ですか」

通路ぎわの三十歳前後の男が、声をかけてきた。ここまで遠慮してきたが、つい退屈

で耐えられなくなったという顔であった。

加東は逃亡の身である。だれとも話したくない。幸い、その男との間がひとつ空席に

なっていることもあって、わざとかたい表情をとり続けていた。

ただ質問された以上、答えなければ、かえって怪しまれる。男が、田舎出の素朴な人間の感じなので、最小限、応じることにした。

「ビジネスといえば、ビジネスだけど、たいしたことでは……」

「永く滞在なさるんですか」

加東は、内心、顔をしかめた。これだから話相手になれない。何でもない質問が、こちらには、容易でない問題になってくる。

「……それが、はっきりしてないんですよ」

「ほう」

男がふしぎそうな顔になるのを見て、加東はあわてていい足した。

「調査の仕事だから、その進みぐあいによるんですよ」

「はあ」

まだ、納得していない。疑われたり、あれこれ質問されるより、高飛車に出ておくに限ると、加東は思った。少し早口になって、

「政府系の銀行につとめていましてね。御承知でしょうが、シンガポールはアジア・ダラーの中心になろうとして、銀行法や外為関係の法律（がいため）をどんどん改正しようとしてるんです。それが、どの辺まで現実化してきているか、調査（リサーチ）しようというのです」

効果があった。男は気勢を削がれ、また、少し悲しそうな顔にもなった。

「ぼく、工場の人間だものだから、銀行のことなど、全然わかりません。たいへん難しいものなんでしょうね」

そういいながら、名刺をとり出して、渡してきた。

二部上場の工作機メーカー。その埼玉にある工場の係長で、畑野という名である。

加東は、用心深く、口頭だけで短く自己紹介した。

「わたしは、カトウといいます。そういう性質の仕事なので、今回は名刺を持たないで出てきているものですから」

都合のいいことに、加藤姓は多い。「カトウ」といえば、相手は「加藤」でおぼえ、さらに、多い姓だというので、「伊藤」や「佐藤」などと記憶ちがいしてくれる可能性も出てくる。

ただ、退屈している畑野は、さらに質問を続けてきた。

「向うには、同じ銀行の方が居られるんでしょう」

「……いや、うちは支店は出していないんです」

うその返事をした。シンガポールは、アジアの国際金融の中心地である。Q銀行でも、支店長以下八人を日本から派遣していた。

「そうですか。すると、おひとりで仕事を……。それは、たいへんですね」

相手にならないで、加東は窓を見た。　眼下は、濃いジャングル地帯。　その上を、短冊形の雲が流れている。

畑野は、加東の背後から、なおしゃべりかけてきた。

「お知り合いか、友だちはいらっしゃるんですか」

少しうるさいという気分もあって、加東は、はね返すようにいった。

「もちろん居ますよ、無二の親友も。　ある合弁会社の支配人をしていますがね」

元村の名が、続けて出かかった。　大学の同期生、同じ寮の部屋でくらしたこともある元村。　弱電メーカーの新設された外国部に入ったのが、きっかけというか、運の尽きで、バンコクに一年をふり出しに、妻子を残してニューヨークへ二年半。　その後、大阪に勤務してから、マニラへ。　今度は妻子を同伴したためもあって、四年。　ようやく、外国部の部長代理として、東京本社へ戻った。

四十半ばという年齢からいっても、その身分からいっても、これで島流しは終り。　今度こそ、日本へ腰を落着けられると、千葉に小さな家を建てたのだが、でき上ったところで、またシンガポールへ出されてしまった。

いつもは赴任前、加東を訪ねてきて、のんびり話しこんだりして行く元村だが、今度は、さすがに我ながらげんなりしたのか、それとも急な赴任だったのか、挨拶状一枚だけで、加東には電話ひとつくれず出かけて行った――。

元村に会いたかった。逃亡先としてシンガポールを思いついたのも、ひとつには、元
村のことが、頭の隅に残っていたせいもあろう。

だが、現実に、元村を訪ねることは許されなかった。逃亡者が、以前の勤務先関係に
立ち寄るのもまずいけれど、親しい友人を訪ねるのもよくない。加東という人間の痕跡（こんせき）を、
どこにも残さぬように、逃げ続けねばならない。

それに、いま元村に会って、どこまで自分の身の上を語れるというのか。その意味で
は、シンガポールに親友があってなきも同然であった。

2

「きみはいいねえ、仲間が待っていて」

加東は、話題を畑野の身の上へ持って行った。

畑野は、一年契約で、ジュロン工業団地に在る合弁の工作機械工場へ技術指導に行く
ところ。そこには、技術者だけでも二十人ほど日本から来ているということであった。

「ええ、その点は、いいのですが……」

「他に何か問題があるのかね」

「入国そのものが、問題なんですよ」

「入国？　シンガポールの入国は、簡単なはずだがね。ビザなしでも、三ヶ月居られるくらいだから」

それは、逃亡先として恵まれた条件のひとつでもあった。

畑野は急に身をかがめると、足もとに置いた黒い革鞄のチャックを開いた。そして、底の方から、風呂敷包をとり出した。中には、小さな花瓶ほどの大きさのものが、ハトロン紙に包まれている。お土産にしては、乱暴な包み方だし、それに、かなり重そうであった。

畑野は弱々しい視線になって、加東を見た。

「問題はこれなんですよ。こいつを、わからんように持ちこまなくちゃならないんです」

「いったいなんですか」

「歯車ですよ。大型プレスの部品のひとつでしてね。数日前に、これがこわれて、その生産ラインがストップしているという連絡があったんです。ちょうど、わたしの出発がきまっていたから、おまえ持って行けということになって。全く、ひどいもんですよ」

「歯車ねえ」

妙なところで、妙な品物の名前をきくという気がした。何となく意味深長な名でもある。

歯車ひとつこわれただけで、動かなくなってしまっている生産ライン。それに比べて、加東という歯車を放り出して、かえってせいせいしているような感じの銀行。

人間を歯車にたとえるのは、むしろ思い上がりで、はるかに歯車より劣った小さなものではないだろうか。

加東の思いとは別に、畑野がつぶやき続けた。

「シンガポールの人間は、割りによく働くんだそうですね。人口が多いから、競争もはげしい。一日でも、一時間でも早く、機械を動かしたいというんです」

「……」

「船で送っていれば、時間がかかる。飛行機でも、手続きがあって、右から左へとは行かない。ぼくに持ちこませるのが、いちばん早いし、確実だというんです。けど、個人の身廻り品でなく、工業用品でしょ。本当は税関で申告して、正式の輸入の手続きをとるべきなんですね。でも、そうすると、やはり、また時間がかかる。それに、万一、不許可になったら、生産ラインは止まりっ放しです。だから、わたしに何とかして、税関にひっかからぬよう、すっと持ちこんでしまえ、というんです」

「苦労しますねえ」

相槌（あいづち）は打ったものの、加東は、そのあとへ続けたい気分であった。

へきみのは、入国さえすめば、終ってしまう苦労だ。それに比べれば、こちらは、その

あと、無限の苦労がはじまる——〉

3

各地からの定期便がいっせいに到着する時刻のようで、シンガポールの空港ビルはかなり混雑し、加東は畑野を見失ってしまった。

入国手続きは簡単。加東に対しては、通関もほとんどフリーパスだったため、混雑している割りには、とんとん拍子に空港の外へ送り出されてしまった感じであった。

すでに夜の九時すぎ。暗い紺色の空には、星がいっぱいにきらめいていた。

電話で高級ホテルのひとつに予約をとり、タクシーでのりつけた。

広々とした玄関ホール。大きな虎の剝製がいくつも置かれたロビイ。ガラスばりのエレベーター。

部屋もゆったりしたつくりで、調度も真新しい。エアコンディションは完璧で、やや冷んやりする快適そのものの室温であった。

風呂へ入ったあと、金髪のピアニストがセレナードを演奏しているバーへ行って、ブランディを一杯。酔いと、飛行機疲れで、すぐに眠れそうな気分だったが、さて、部屋へ戻りベッドに横になると、一向に寝つけなかった。

　ホテルは、まわりをヤシの林に囲まれていて、静かであった。車の音も、遠くにしかきこえない。眠るのに何の妨げもないのに、目はさえるばかりであった。あきらめて、現地の新聞を読んでいる中、ようやく眠くなった。

　何度も寝返りを打ち、枕の位置を変えてみた。

　スタンドの灯を消し、まどろみに落ちた。いろいろ夢を見て、かなり永い一眠りが終った感じで、目をさまし、時計を見ると、まだ一時間と経っていなかった。

　しかも、寝汗をかいて、パジャマが濡れている。室温は相変わらず快適で、汗をかく状態ではない。苦しい夢にでもうなされたあとの感じであった。

　窓に寄り、ブラインド越しに空を見る。ビロードのような空には、無数の星がいよいよきらめきを増していた。

　逃亡第一夜。さて、これからどうするか。どこへ、本格的に身をかくすか。

　〈できるだけ遠くへ〉

　というのが、常務の希望であった。まるで、地球の果てのその先へでも落ちて行けといわんばかりであった。

　銀行は、事件の発覚をおそれていた。クリ・スポーツへの不良貸付により十五億近い穴があいている。担当の加東は、その社長の米倉から、謝礼として二千万を越す金品を受けていた。

だが銀行がおそれたのは、それが、一行員の単純な過失や非行の問題にとどまらぬところにある。

加東が、Q銀八重洲支店の貸付係長として、米倉の応対をしたとき、米倉はまだアメリカの巨大なスポーツ用品メーカー、クリスタライン日本支社の営業部長であった。ヨットからテニス用品、ゴルフ用品、さらに各種のスポーツウェアに至るまで、クリスタラインの製品は、日本で急速に売上をのばしていた。

ただ売上額が大きいだけでなく、収益力や成長力も抜群。さらに販売会社であるだけに、融資の面倒を見る必要もなく、見返りなしで預金をふやせるとあって、銀行間のクリスタラインの預金獲得競争は、激甚（げきじん）であった。

米倉は、すでにQ銀の副頭取や常務との接触があり、その旨、本店から知らされていた。それだけに加東は、最高の丁重さで、米倉を迎え、接待にもつとめた。

やがて、米倉は、クリ・スポーツという会社をつくって、社長に出た。クリスタラインの代理店業務を行ないながら、レジャー施設やレジャークラブの開発を行なうというもので、クリスタラインの子会社であり、身代り会社と見られた。

事実、米倉は、相変らずクリスタラインに出入りし、後任の営業部長には、米倉の腹心の男を当てた。クリスタラインへの米倉の影響力は、少しも変わらぬと見られた。

そうした状況の下で、クリ・スポーツへの貸付がはじまった。

土地がからむこともあって、保守党の有力政治家が出てきた。副頭取や常務と親しい政治家で、米倉は、その政治家の資金パイプのひとつとなった。

太い資金パイプ網がそんな風に通じてしまうと、窓口の一係長として抵抗しようにも限度があった。審査基準に合わない貸付にも、目をつむる他はない。係長とはいっても、ひとつの歯車でしかなかった。

ばかばかしくもなったが、しかし、そのころから、加東は逆に米倉から手厚い接待を受けるようになった。不良貸付は増大し、加東自身も、平気で札束を受けとるようになった。

やがて不安どおり、クリ・スポーツは倒産した。事業計画が行きづまったというだけでなく、計画倒産の疑いがあった。

ゴルフ場を中心としたレジャークラブ構想では、一口百万円の入会金を約五千人から集めておきながら、土地の手当ひとつしていなかった。Q銀行からも、詐取(しゆ)の目的で巨額の融資を受けていたわけである。

その大金とともに、米倉は海外へ逃走した。レバノンか、スイスに居るらしいという。

世間をさわがせたF銀行事件にくらべれば、スケールは小さいが、事件の性質には似ているところがある。第二のF銀事件と、マスコミに派手に書き立てられる心配があ

った——。

4

ホテルの中だけに身をひそめていては、かえって怪しまれる。加東は、用意してきた濃いサングラスをかけ、観光客を装って、街へ出た。

タクシーの運転手に任せると、ヒスイの家へ連れて行った。中国人実業家の集めたヒスイの細工物などが、一千点ほど集められている。加東には、まるで興味がなかった。

加東だけではない。女たちが声をあげているのに対し、男の見物客は、申し合わせたように、つまらなそうな顔をしていた。

それは、男が女に宝石をねだられる立場にあることと関係があるかも知れぬと、加東はにがい気持で思った。現に加東は、ハルミにも、ヒスイをねだられていた。

ハルミは、米倉がつれて行ってくれたクラブのホステスであった。米倉にいいふくめられていたせいか、はじめから印象がよく、サービスもよかった。小柄で、ひきしまった琥珀色の体軀。快活で、はきはきしていた。それは、妻の小夜子と対照的であった。

小夜子は、大柄の上、運動不足のため、体全体がふやけてしまった感じになっている。口が重く、いつもふくれた顔をしていた。

はじけるように笑っているばかりの感じだったハルミだが、体の関係ができるころか

ら、加東に物をねだりはじめた。まず、ハンドバッグ、次に洋服、そして、宝石。ダイ

ヤモンドも、友人が一カラットのものを持っているので、それ以上の大きさでなければ

いやだという。米倉からの金で買い与えると、今度は、誕生石であるヒスイが欲しいと、

いい出した──。

南国だけに、やはり暑さはきびしかった。冷房つきのタクシーで戻ったのに、ホテル

に着くと、全身、汗にまみれていた。

シャワーを浴び、ついでに思いついて、ランニングシャツも洗った。ランニングは、二枚しか持って来ていない。クリ

ーニングに出す時間的余裕もなかったため、ランニングは、二枚しか持って来ていない。クリ

でも余計な金はつかいたくない気分であった。いや、これから先の永い逃避行を思うと、少し

洗ったランニングをハンガーにかけたが、干すところがない。結局、部屋の隅に帽子

かけ用のフックを見つけて、吊した。

水色の深々とした絨緞、真珠色の布をはりつめた壁。そうしたデラックスな部屋の中

で、一枚の肌着が、ちぢみ上っていた。

次の日は、タイガー・バーム・ガーデンという庭園に行った。

セメント細工のさまざまの極彩色の人形が、動物園の動物よろしく並べられている。

ヒスイの家の主と同じ実業家がつくったものというが、ヒスイの家同様、加東には興味が湧かなかった。

この日も帰ると、また、全身に汗がふき出ていた。

シャワーを浴び、ついでにランニングを洗う。そして、ハンガーにかけ、前日と同様、帽子かけに吊そうとして、加東はぎくりとした。そのフックに、洗濯物用の紙袋がぶら下っていた。

前日、ヒスイの家から戻ってから、加東は外出していない。部屋をあけたのは、食堂へ下りた間だけだが、その隙に、メイドかだれかが部屋へ入り、ランニングを見とがめたのであろう。洗濯袋は、無言で加東を非難していた。

この小さな島国に、二百二十万の人口が溢れている。中国系の勤勉な人種なだけに、職業も細分化され、くまなく生計の資を得ようとしている。

その中には、デラックス・ホテルの泊り客のためのクリーニングで食っているひとびともあるはずである。自分で肌着を洗うような客は、そうしたひとびとの生存権を奪う。

洗濯袋で出すか、洗濯袋で出す客に代ってほしいと、訴えてもいた。

快適なため、ついそのホテルで泊りを重ねていたが、身をかくすためにも、また持ち金を食いのばすためにも、早く安ホテルに移るべきであった。そこは、目抜き通りのはずれに

タクシーの運転手に話し、小さな安ホテルへかわった。そこは、目抜き通りのはずれに

あり、日本語の観光案内書には出ていないホテルであった。ベルボーイも居らず、自分で荷物を持ち、おそいエレベーターにのって、部屋へ入った。

夜は、また、よく眠れなかった。冷房のききがわるく、シーツに汗がしみて行くのがわかる。洗面所の水道の蛇口はよくしまらず、あたりが静かになると、その水滴の音が耳についた。

寝苦しさに耐えられなくなって、起き上った。机がひとつと、スプリングのゆるんだ椅子がひとつ。

絨緞はすりきれ、あちこちにほこりが落ちていた。浴槽や洗面台には、毛がついていたり、垢とも脂ともつかぬものが幾重もの線をえがいていた。

加東は、ふっと、家のことを思った。

妻の小夜子は潔癖であった。前世は洗い熊ではなかったかと思われるほど、ステンレスの流し台も、みがき立てる。トイレは日に二度掃除し、湯船は家族全員が出たところで洗い、水を貯める前にまた洗った。

小夜子には、もともと軽度の心臓脚気の持病があった。運動ぎらいなのも、そのせいといえたが、それにしても、清潔さにかけては異様なほどの執念であった。

新しくまた人手の多い高級ホテルが清潔なのは、当然であった。それは、お金でみが

いた清潔さであったが、加東の家の清潔さは、小夜子の心がみがいた清潔さであった。

ハルミには、せがまれるままに次々と買ってやりながら、その小夜子には、最近、何を買ってやっただろうか。

夫が海外に逃亡して三日目の夜、小夜子はどんな思いで、あの清潔な台所に坐っているのだろうか。台所はいよいよ癇性にみがき立てられているのか、それとも、くもりはじめているのか。

　　　5

四日目、加東は植物園に出かけた。

道中、タクシーの運転手と話しながらも、目は街の様子をさぐり続けた。

ガーデン・シティと呼ばれるだけに、高級住宅は、濃い緑と花々の中に埋もれている。

その一方では、新しい高層アパート群が林立していた。

もともと住宅難の島だけに、貸し家とか貸し間とか、その種のものの気配はどこにもなかった。富者は富者なりに、貧者は貧者なりに、整然とした住まい方をしている街のようであった。

濃淡色とりどりの緑が重なり合う広い植物園で、加東は、はじめて心の安まるのを感

じた。サングラスなしでその緑を眺められぬのが、残念でもあった。

ジャングルもあれば、国花である蘭の花を集めた一劃もある。　灌木を動物の形に刈り

こんだ植えこみもあった。子供づれが、ゆっくり散歩している。

その姿を見て、加東は末娘の幸子のことを思い出した。

幸子は、息子二人が小学校を終えようとするころできた娘であった。もうその心配も

あるまいと、避妊について二度三度油断したところ、小夜子は妊娠してしまった。健康

の心配もあり、加東は中絶をすすめたのだが、

〈天からの授かりものかも知れないわ〉

と、小夜子はとり合わなかった。

それは、はっきりした決断のせいというより、加東には無気力さのいわせる言葉にも

思えたのだが。

女の子が生まれ、加東は単純に幸子と名づけた。歳が隔たっているだけに、父親とし

てどこまで責任が果せるものかわからない。せめて人なみの幸福だけには恵まれてくれ

と、祈るような気持であった。

しかし、それだけの祈りも、早くも裏切られた。父親が帰るあてもなく海外に逃走す

ることが、幼い娘にとって幸せであろうはずがない。

息子たちはすでに中学と高校。幸子は四つで、幼稚園に上ったばかりである。いちば

んふびんに思えて、最後の日曜日は、上野の動物園に連れて行った。

秋に入ったばかりのところで、動物園は思ったより空いていた。幸子は、加東の手を
しっかりつかんで歩きながら、しきりに動物のことなど、しゃべり続けた。

もともと、母親の小夜子もあきれるほど、おしゃべり好きな子であったが、それも、
加東には、父親と居る人生の時間の短さが、運命的にそうさせているようにも思えるの
であった。

加東の問いに、幸子は、ときどき思い出したように、〈ハイ〉という返事をした。そ
れまで、〈うん〉〈うん〉といってきたのを、幼稚園の先生に注意され、家でも小夜子に
たしなめられているせいであった。

加東は、その〈ハイ〉が出るたびに、苦笑して歩いた。

犀の居るところへ来たときのこと。

〈あれは、何という動物かな〉

加東は、また何度目かの質問をした。

〈サイよ〉

〈ツァイ?〉

加東は、わざとちがったいい方をした。

〈ちがうよ。サイ、サイよ〉

〈ふん〉

ふいに幸子は立ち止まった。加東を見上げ、しっかりした声で、

〈パパ、サイといってごらん〉

じっと見つめて動かない。加東は苦笑を深めながら、〈サイ〉といった。

そのあと、加東は、またひとり笑いした。幸子は、くどいくらいに、〈ハイといって

ごらん〉と、母親などにいわれている。その言い方を、ふっと、父親相手にやってみた

と、感じであった――。

いまごろ幸子は――と、加東は、また日本を想った。

〈パパは遠くへお仕事に〉という風に、小夜子にいわせることにしてある。その文句を、

幸子の小さな頭は、どんな風に受けとめるだろうか。〈どこへ〉〈いつ帰ってくるの〉な

どと、毎日のように質問攻めにしているのではないか。

「パパは遠くへお仕事に、か」

椰子の木立の下を歩きながら、加東は吐き出すようにつぶやいた。

仕事など、ひとつもありはしない。おかしな仕事をしたおかげで、遠くへはじき出さ

れたまでのこと。〈遠くへお仕事に〉ではなく、〈お仕事のせいで遠くに〉というのが、

正確であろう。あるいは、〈逃げることがお仕事だ〉とでも。

6

五日目、加東は日航の支店へ行き、日本の新聞に一通り目を通した。社会面と経済面を注意深く見たが、Q銀行のことについては、ただの一行の報道もなかった。事件はまだ発覚せず、マスコミも動いていない。

加東は、カウンターでシンガポール以遠の座席の予約状況をきいてみた。どのラインも、かなり空いているようであった。

〈できるだけ遠くへ行くんだ〉

という常務の声が、また耳にきこえてくる気がした。

航空券は、一応、パリまで買ってある。もっとも、パリへ逃げる気はない。パリは、日本からの客が多いし、一方、白人社会の中に日本人が住みつけば、かえって目立ちやすい。むしろ、アジアや中近東のような同じ肌色の国にまぎれこんでいた方がいい気がする。

数日ぶりに日本語をきき、加東の心は、はずんだ。警戒心を強めるべきかも知れぬが、何となく、見つからぬ自信のようなものが出てきた。小さくなっていないで、もっと積極的に生きていていいという気分である。

　加東は、カウンターの女子係員にきいてみた。

「ここに住む日本人の名簿のようなものがありますか」

「はい、ございますが」

　係員は、少し厚手のリーフレットを貸してくれた。加東がその頁をくりかけたとこ

ろへ、係員はいった。

「どなたか……」

「うん、元村というんですが」

　つい、つりこまれて答えてから、加東ははっとした。

「あら、元村さんなら、ここへもよくお出でになって。ずいぶん御活躍なさってます

わ」

　そういってから、加東の顔をあらためて見て、

「お知り合いでいらっしゃいますか」

「知り合いというか……」加東はあわてた。そのあげく、まずいうそをついた。「軍隊

でいっしょだったものですから」

　果して、係員は眼を大きくした。

「あら、元村さんも、軍隊にいらしてたの。なんだか、兵隊さんの悪口ばかりいってら

っしゃるものだから、軍隊には関係のない方だと思っていましたわ」

加東は、軽率なうそを後悔した。兵隊にとられる直前に終戦を迎えた年齢であった。

加東は、元村のアドレスを見つけ、すばやく頭の中にたたきこむと、日航を出た。タクシーをひろう。反射的に、そのアドレスを口にしていた。もちろん会うつもりはない。親友の住むあたりのたたずまいを、そっと、のぞいておきたかったまでである。

元村の家は、最初泊った高級ホテルの裏手に当たる閑静な住宅地に在った。並木道があり、原色の花々が咲きみだれた奥に、大きな家が並び、ちょっと田園調布あたりの風景に似ていた。

運転手は、口の中でハウス・ナンバーを復誦しながら車を徐行させていたが、

「はい、ここですよ」

と、ブレーキをふんだ。

庭に小型のプールのある想像以上にりっぱな家であった。車のとまった気配に、煉瓦（れんが）の壁のかげから、メイドが顔をのぞかせた。

「あ、停めなくていいんだ」

運転手は、けげんな顔をして、加東を見返す。加東はいそいでいい繕った。

「ちょっとこの辺の様子を見たかっただけだ。……昔、友人がここに住んでいたというんでね」

ようやく運転手はうなずいた。

「では、どこへ」

どこといわれても、加東にはとっさに答が出ない。

「……下町（ダウンタウン）をぐるぐる廻ってくれるか」

シンガポールに下町（ダウンタウン）と呼ばれる地域があるかどうか知らなかったが、タクシーは走り出した。

「お客さんは観光ですか」

「……半分は観光、半分はビジネス」

また〈遠くへお仕事に〉という日本語のセリフが口に出そうであった。

タクシーはやがて港に近いにぎやかな街並を縫って走り廻った。人も車も多い。公園があり、広場がある。四本柱の記念碑のようなものが見えた。何かときいてみると、運転手は前を向いたまま、

「四つの民族の犠牲者の碑です」

短く、ぶっきらぼうに答えた。

シンガポールは、人種的には中国系が圧倒的だが、他にも、マレイ系、インド系、パキスタン系の住民が居る。その四民族のどういう犠牲者をまつるというのか。

ただ、運転手のそっけない答え方に、加東はそれ以上の質問を控え、黙って街の風景を見つめた。

しばらくして運転手は、

「今度はどこへ行きますか」

「……どこか大きな銀行へつけてくれ」

答える代りに、運転手はまた加東の顔を見た。おかしな客と思っている様子である。

加東はいい足した。

「ちょっとドルを交換したいんでね」

銀行では、少しばかりシンガポール・ドルにとりかえたが、そのついでを装って、加東はナンバー・アカウントのことをきいてみた。

ナンバー・アカウントとは、スイス銀行が得意とするナンバーだけの匿名預金口座で、ただナンバーだけの口座が開設され、預金者の氏名や住所などの秘密が厳重に守られる仕組みである。永い逃亡生活などの場合には、それは恰好の資金のかくし場所となるはずであった。

アジアのスイスをめざすシンガポールでは、一九七〇年の新銀行法で、このナンバー・アカウントの創設や秘密保持義務の強化を規定していた。ただまだ現実化していない——というところまで、加東は日本で調べてきていた。その辺のことをたしかめてみたのだが。

窓口の係員は、加東の質問の要領がのみこめぬようで、奥から、肥った上役をつれて

きた。加東とほぼ同年齢、銀行での地位なども、おそらく加東と同じといった感じの男であった。

加東にも身におぼえのあることだが、男は、不快感を与えない程度に客を観察しながら、予想どおりの返事をした。その上で、

「もし実現すれば、御連絡をさし上げますので、おさしつかえなければ、御連絡先を」

と、いい添えた。

加東は、米ドル三万ドルと日本円六十万円を携行してきていた。加東としては大金である。できれば、ナンバー・アカウントにしておきたいところであったが、開設されていなければ、どうしようもない。また、いつ開設されるかわからぬものを、こちらの連絡先まで明かして待って居れる身の上ではなかった。

加東は、あいまいに首を横に振り、銀行を出た。男の視線が、窓ガラス越しにいつまでも追ってくるのを、背に感じた。

どうも、その日は、何となく、へまばかりしているような気がした。旅の疲れ、神経の疲れ。それに不眠続きで、頭がぼんやりしているようであった。そのぼやけた頭を、暑さがさらにふやけさせて行く。

早く宿へ戻ろうと思い、タクシーに手を上げかけて、思いとどまった。まだ銀行の中から、男に見つめられている感じがする。

足早に百メートルほど歩いて、角を廻り、さらにもう一度、角を廻ってから、はじめてタクシーを拾った。

7

六日目の朝早く、加東は思いきってゴルフ場へ出かけた。不眠症から抜け出すためには、体を疲れさせる他ないと思ったためである。ゴルフ場には日本人が多いときいて、それまで控えていたのだが、健康には代えられなかった。

ただ、用心のため、ひさしの長い帽子を買って目深くかぶり、サングラスをかけたまま打って出た。

キャディだけを連れ、なだらかな丘陵のコースを行く。久しぶりに爽快な気分であった。

幾ホールか廻って行く中、汗が流れ、眼鏡がくもり出した。それにクラブを振る度に眼鏡がゆれる感じで、わずらわしくてならない。

加東は、サングラスをはずした。

クラブハウスのまわりにこそ、人は群れているが、コースへ出てしまえば、数えるほどのひとと、ときどきすれちがうばかり。広い原っぱの真中に居るようなものなので、

警戒する必要もないと思った。

クラブハウスに近づいたときだけ、またサングラスをかけ、さらに、インコースへと続けて廻って行った。そして、インの半ば近くきて、隣りコースの組とすれちがったとき、加東は、ふいに声をかけられた。

「おい、加東じゃないか」

元村が眼をまるくして立っていた。

加東も動けなかった。後悔が走り去ったあと、懐しさがこみ上げてきた。パートナーの男を先に行かせると、元村は大股にこちらのコースまで歩いてきた。

「来ていたのか。いつ来たんだ」

「……五日ほど前」

「なぜ知らせて来んのだ」

「……急に来たものだから」

「急だろうと何だろうと、親友のおれに黙っていることはないだろう」

「うん」

「仕事か」

「まあね」

元村は、コースの前後に目をやり、

「仲間は居ないのか」

「うん……」

「冴えないな」

「……」

「どこへ泊ってるんだ」

加東が口ごもるようにして、その名をいうと、

「妙なホテルに居るな。木賃宿じゃないか」

じっと見つめてくる。そのあげく、

「何か事情があるようだな」

さぐるというより、理解し、場合によっては保護しようという眼の色である。

加東は、胸が熱く濡れてくるのを感じ、小さくうなずいた。

元村は、顎で自分のコースの方向を指した。

「パートナーが待っている。今夜、話そう。車をホテルに迎えにやるから、おれの家へ来い」

「いや、家へは……」

幸福そうな家庭の雰囲気をのぞきたくはなかった。それに、いりくんだ話は、家庭の中では話しにくい。

「そうか」元村は二度三度うなずき、「それなら、どこか日本料理屋をリザーブしてお
く」

さすがに〈日本料理屋もいやだ〉とまではいえなかった。

8

夕方までの時間、加東はせまいホテルの部屋で思い悩んだ。

少し頭を休めようと、ベッドに横になってもみたが、ゴルフのあとにもかかわらず、
寝つけなかった。脳が芯のところで興奮している。

冷房の効きがわるいため、すぐ汗ばんで、二度もシャワーを浴びた。そのあげく、よ
うやく肚を決めた。

元村相手では、〈アジア・ダラーを調べにきた〉などとごまかすわけにはいかない。
事件をある程度告白し、むしろ知恵を借りる他ないと思った。

日本料理屋の小部屋で、元村は「まずいなあ」と、くり返しつぶやきながら、加東の
話を聞いた。

しきりに盃も空ける。加東に輪をかけたほど酒に弱かったはずなのに、いまは軽く加
東の倍のスピードでのんだ。

加東が話し終ると、元村はまた盃を空け、

「それで、いったい、これからどうするつもりなんだ」

「できるだけ永く逃げていたい。だから、いっそ、物価の安いスペインかポルトガルあたりへ行こうかと思っている」

本心というより、アドバルーンに近かった。

元村は、加東の答を無視し、少しこわい声でいった。

「いつまでも逃げ切れる自信があるのか。経済的にもそうだし、家族のこともそうだ。それに何より、きみの神経が耐えられるかどうかだ」

「……」

「きみが逃げれば逃げるほど、銀行は、いや、副頭取やその政治家たちは、たしかによろこぶだろう。彼等にしてみれば、きみがこのまま永久に帰って来ない方がいいわけだから。そうすれば、発覚した場合も、全くきみという一係長の非行のせいにすることができる」

「……」

「ところが、逃げおおせたところで、きみやきみの家族は、いったい、どういうよろこびを得るというんだ」

「罪人になることを免れる……」

「そうだろうか。業務上横領罪の時効は、いったい何年だ。その間、きみは流刑される わけだぞ。むしろ服役した方が、期間だって短いはずだ。いや、それより、きみという 人間が居れば、きみの口から事件の真相がばらされる心配があるので、とにかく発覚し ないことに銀行は死力を尽くすだろう。だから、日本で大きな顔をしていた方が、案外、 罪人にならぬ可能性もあったわけだ」

「……」

「きみだって、この辺のことは考えないわけではなかったろう。だが、考えつめるより 先に出てきてしまった。つまり、きみが兵隊だからさ」

意外な言葉を聞く気がして、加東は問い返した。

「兵隊だって」

「そうだ。どんな役職につこうと、おれたちから、兵士の意識は消えない。軍隊にこそ 入らなかったが、おれたちは、兵士の時代に育ったものでなあ。深く考えない、理屈はい わない、反抗しない、自己犠牲は得意だ。いろいろ考えているようでも、やってること は、兵士と同じだよ」

加東も酒をあおった。〈シンガポールまで来て、いまさらそんな話をすることはない のに〉という気分であった。その気持をこめて、加東はひねくれた口調でいった。

「兵士のくせに、りっぱな家に住んでいるじゃないか。実は、おれ、外からちょっとの

ぞいて見たんだ」

　元村はうなずいた。

「そうか。あの家を見たのか。たしかにりっぱかも知れんな。しかし……」元村は声を

たかぶらせて続けた。「千葉につくったおれの家の方が、もっとりっぱだよ」

「そうか。そんなデラックスなのか」

「なにしろ、建築材料は、おれたち一家の汗と涙だものなあ。おれたちは、ずいぶん、

外国で働いてきた。わが家では、英語で話す者もあれば、中国語でしゃべり出すやつも

居る。みんな苦労して、その土地になじんだ時分に、また別の国へ。そして、ようやく

東京へ帰った。今度こそ安住と思ったのが、あまかった。兵士に安住などあるはずがな

い」

「……」

「家はほとんどできたよ。最後に、豪華なシャンデリアをつけることになる。その直前、

シンガポール行き。赤紙一枚で、すべて御破算だ。何年か先、日本に戻ったとき、シャ

ンデリアだけ、新品をつけることになる。くたびれくろずんだ兵士の家に、真新しいシ

ャンデリアだけが、あかあかと輝く……」

　酔いが廻ってきた。元村は、ボーイを呼んで、冷房を強めさせた。そのあと、少しす

わった眼つきになっていった。

「なぜ、おれがまた出されたと思う。それは、おれが兵士中の兵士だからさ。よく働くし、命令どおりの業績を上げる。それに兵士の分際を守って、出しゃばらず、敵もつくらずやってきた。ここの会社は、社長は現地人だが、日本人の支配人つまりおれが、経営を任され、三百人の人間を預ることになる。なまけたり、山気のある男では困る。何より、きちんとやってくれなくては」

「…………」

「上は人間を見る眼があるよ。たしかにおれは、命令だけ出しておけば、安心して任せられる男なんだ。つまり、上等の兵士。きみだって似たようなものだ。きみはきみで、いわれたとおりに、まちがいなく悪事を働き、また、まちがいなく逃亡する」

「つまり、歯車のようなものだな」

「歯車だって？　そんな結構なものじゃない。ただの兵士だ」

加東は、酔った頭に、ふと畑野とその歯車のことを思い出した。

歯車は、無事に通関したろうか。その歯車ひとつで巨大なプレスが動き、生産ラインが生きものののように動き出すものなのであろうか。

元村は、シンガポール在勤者の苦労を話し出した。観光客には美しい島国だが、住んで働こうとする者には、あまくない。一年の査証（ビザ）をとるのも容易ではない。また、社会秩序の整った国だけに、いつも誰かに監視されているような圧迫感がある。

それに、先の大戦での残虐行為のうらみは消えていない。四本柱の慰霊碑——タクシーの運転手はあいまいな言い方をしたが、——その碑は、日本軍将兵によって虐殺された無数の市民を記念したものであり、いまも、日本軍の入城日を憎しみとともに記念して、まつりが行なわれているという。

だが、加東には、シンガポールがどうこうというより、兵士のたとえが身にこたえていた。幸子ではないが、〈ハイといいなさい〉としつけられ、そのまま幼児のように中年まで過してきた。

〈できるだけ遠くへ〉という常務の声にも、やはりハイといって。〈遠くへお仕事に〉などと子供をだましながら、茫然自失の旅に出る。その無気力さが、はじめてはっきり目に見える気がした。

〈できるだけ遠くへ〉など行くものか。〈遠くへお仕事に〉など行くものか。むしろ、日本へ帰ってやる、と思った。

9

次の日、加東は空港に出て、パリ行きの切符をキャンセルした。その代り買ったのが、香港行きであった。日本まで一気に帰る気持は、一晩寝る中にうすれていた。

飛行機も、慎重に香港どまりの便を選んでのった。濃いサングラスもはずさない。

〈これで、わずかだが、常務たちの歯車を狂わせてやることになる。それにしても、この程度の狂わせ方しかできないものか。なぜ、ここへ来るまでに、早くから、大きく狂わせてやれなかったのか〉

半ば満足し、半ば後悔しながら、遠ざかって行くシンガポールを眺めた。

（「別冊文藝春秋」第一二九号、昭和四十九年九月）

カルガリ駐在員事務所

1

清原は、何気なく、黒い狼を見つめた。

痩せて、精悍で、荒野を走ってきてそのまま檻の中へとびこんだような感じがあった。

かすかに、毛を逆立てている。

清原は、狼の目を見た。瞳は、透きとおった草色をしていた。

だが、目を見たのが、いけなかったらしい。狼は、吠えながら、口をあけて、とびかかってきた。

狼の頭は、檻にあたって、にぶい音を立てた。同時に、檻が鳴った。

清原は、反射的に後へとびさがった。一瞬、心臓のとまりそうな気がした。

檻をへだてて、狼は、全身の黒い毛を逆立て、なお低くうなり続けている。

瞳には、緋の色がちらつき、残忍そのものの形相である。

〈檻がなかったら、食い殺すのに〉

と、その瞳は、いっていた。

「このやろう！」

清原は、吐き出すようにつぶやいたあと、狼を見返した。

そのとき、ふいに、背後で笑い声がした。

「清原さん、どうした。狼とケンカしてるの」

清原は、そのことにもまた、ぎょっとする気分であった。

日系三世のテッド谷であった。

がらんとしたカルガリの動物園。日曜日とはいっても、まわりに人影はなく、はるか遠くに、カナディアン・ロッキーに続く丘陵地帯が見えている。

そうした無人に近い風景の中に、どうして谷が現われ、すぐ後にまで来ていたのか。

「ケンカじゃありませんよ」

清原は、まず谷に答えてから、注をつけた。

「こいつ、すごく野性的ですね。こんな狼見たの、はじめてだ」

「日本の動物園に、狼居ないの？」

「もちろん居ますよ。けど、こんな風に怒ってくるやつは居ません。狼だけじゃないです。どんな猛獣だって、そうです。みんな、人を見飽きて、うんざりしたという顔してますよ、日本の動物園では」

狼は、まだ、うなり続けていた。

その声を背に、清原は歩き出した。谷も並んでついてきた。

「そういえば、ここの動物、あまり人間に馴れてないのかな。冬の間、閉鎖されてて、再開されたばかりだし、それに、だいいち、動物園そのものが、まだ五年と経っていない」

清原は、その上に押しかぶせるようにいった。

「何より人間が少ないんですよ。日本だと、たとえ開かれたばかりの動物園にも、押すな押すなの人出でしょ。動物たちは、たちまち人間を見飽きてしまいます。それに比べりゃ、やはりカナダは……」

谷はにやりと笑うと、その先を引き取っていった。

「大きすぎる。そして、人間が少なすぎる――清原さんの得意のセリフね」

清原は、うなずいた。

いつもの夢がふくらみ、胸の中が熱くなってくる。

〈やっぱり、カナダはいい。どうしても、ここへ永住したい〉

そう続けたい気持であった。居眠りしていた北極熊が、目を開いて、二人を見つめる。

熊の檻の前を過ぎた。

どこかで子供の声がしたが、姿は見えない。相変わらず人影はなく、動物園は大自然の一部のように静まり返っていた。

清原は、ふと思いついて、谷にきいた。

「ところで、あなたは、どうしてここへ。　動物好きなのですか」

「ぼくは動物好きでないよ」

「それじゃ、どうして」

谷はいたずらっぽい目つきで笑ったが、清原のけげんな顔を見て、いい足した。

「正直いうと、車から、きみの歩いているの見つけて、後をつけてきたのよ」

「…………」

「ぼく、ゴルフ場へ行く途中だったの。ところが、清原さんひとりだけで歩いて、ひとりだけで動物園へ入って行く。おかしいな、だれかいいひとと会うのかなと思って、後つけてきたのよ」

「いい趣味じゃありませんね」

「ごめんなさい。けど、これも正直いうと、きみに早く知らせたいいいニュースがあったのよ」

「いいニュース？」

「そう。ぼくたちの努力が成功して、ペンドロップ炭鉱の注文、とうとうとれたのよ。総額で二十万ドルにはなるね」

清原は、うなずいてから、立ち止まった。

あらためて谷の目をまっすぐ見て、頭を下げた。

「それは吉報です。ありがとうございました」

　清原のつとめるカナダ興産は、大手のQ鉱業の子会社のひとつである。そして、Q鉱業の技術によって開発された採炭機械類を、主としてカナダ向けに輸出するため設立された貿易商社、というより、一種のトンネル会社である。

　カナダでは、地域別・機種別に十二の代理店を置き、それぞれ売りこみに当たらせているが、その代理店網の統轄と販売促進のため、カナダ興産は、バンクーバー、ウィニペッグ、カルガリの三ケ所にワンマン・オフィス、つまり、駐在員ひとりだけの事務所を置いている。

　清原たち駐在員は、代理店の尻をたたき、あるいは代理店といっしょになって、各地の炭鉱へ売りこみに廻っている。

　テッド谷は、そうした代理店のひとつで、アルバータ州を商圏とするアーク商会の出資者の一人であり、副支配人であった──。

「早速、バンクーバーへ連絡して……」

　清原がいいかける先を、谷は分厚い上唇に指を当てて制した。

「いいニュースは、大切に扱った方がいい」

「どういうことですか」

谷は、人の気配もないのに、あたりを見廻した。

「この注文をとるために、きみにも努力してもらったが、ぼくもずいぶん苦労したんだ。

だから、今度の契約については、アーク商会を通さぬことにして欲しい」

「しかし……」

「支配人のアークのやつは、エドモントンばかりに居て、ほとんど動いていない。それ

に、寒い間は、メキシコであそんでいる。あんなやつに、まるまるもうけさせることは

ないんだ」

「しかし、アーク商会は、ともかくこの州の代理店なんですよ」

「形だけの話さ。実際の商売（ビジネス）は、ほとんど、ぼくがしている。資本金だって、ぼくが三

分の一出している」

「しかし……」

「きみさえ目を閉じ、口を閉じていてくれさえすれば、何でもないんだ」

谷は、目と目にチャックをする手まねをした。

「口銭（コミッション）の五パーセントは、ぼくがアメリカに置いてある銀行の口座へ振りこんでくれ

たまえ」

──ききたくないという風に、清原は首を横に振りながら歩き出した。

谷が追ってきて、ささやく。

「それに、ぼくだけうまいことしようというわけじゃない。きみにも、一・五パーセントだけ、その口銭を分けてやるよ」

「とんでもない」

清原ははげしく首を振ったが、谷はなおからみつくように、

「わるくはないと思うな。それに、今度だけじゃない。これからも、ときどき積んで行こう。いつか、かなりの財産になると思うよ」

「…………」

「きみは、カナダ興産に一生つとめる気持ではないでしょ。それなら、なぜ財産をつくらない？　財産さえあれば、何でもできる。きみの好きなこのあまりに大きな国へ永住する方法だって、見つけることができると思うよ」

葉の落ちた楓の林の向うに、流れがひらけた。ロッキー山系からの雪どけ水が、はげしい音を立て、岸辺を洗いながら流れている。

2

川の向うには、ダウン・タウンのいくつかのビルが見えた。

石油開発の基地として、荒野の中にいきなり生れた街。「カナダのロサンゼルス」と

いわれ、急成長している街だけに、市街の表情は若く新しい。

もっとも、「ロサンゼルス」とはいっても、人口は一桁ちがいの四十万でしかない。

まわりの大自然に比べると、明日にでも消えそうなたよりなさもあった。

話を拒むように、背を見せて市街を眺めていたあと、清原は流れに沿って歩き出した。

猿ばかり集めている檻があったが、そのはずれにきて、清原は思わず立ち止まった。

赤い頬をした懐しい顔が、きょとんとした目で、清原を見つめていた。まだ少年といった感じの小型の日本猿である。

後を追ってきた谷が、檻の名札を読んで、声をあげた。

「おや、猿まで日本から来てる」

トゲを感じさせる言い方であったが、谷はすぐ口調を変えて、

「かわいそうに。さびしそうな顔をして」

日本猿は、人なつっこい目で二人を見上げる。

「やっぱり、日本の猿は、日本の人間と同じで、多勢の仲間の中に居ないと、だめなのかな」

黙ったままの清原を、谷は横目で見て、

「きみのように、カナダに来てよろこんでいるのは珍しい。やっぱり、きみは、日本人

　清原は、きき流しながら、日本猿に向かって手を出した。

　猿も、檻の間から、おずおずと小さな手を出した。

　清原は、三本の指でつまむようにして握手したが、猿の手を見て、目をみはった。

　指には、人間と同じような形の爪があった。それに、掌がなめらかで白っぽく、しかも、人間の掌に似て、いくつもの線が走っていた。

　気味がわるくなり、清原は手を放した。そのとき、谷が横からいった。

「はじめて気がついたけど、きみ、ずいぶん、大きな強そうな手をしてるね」

　清原は、急いで右手をコートのポケットにいれた。

「……学生時代、沖仲仕なんかの重労働をアルバイトでやってましたからね」

「それにしたって」

　谷は、首をかしげながら、清原の左手を見た。

「こちらは、それほどでもない」

　そういってから、一段と声を大きくした。

「わかった。きみは空手をしてたんだ。空手のエキスパートは、右手ばかり大きくなるというけど、きみも空手の黒帯なんだろう」

　清原は、顔をそむけた。空手のことに触れたくなかった。カナダへ逃れるように

来たのも、ひとつには、空手に関係がある。

「ほんの少ししゃっただけですよ」

逃げるように小声でいったが、谷はたたみかけてきた。

「どうして隠すのかね。空手ができるのは、有利だし、じまんできることだ。黒帯なら、うまくやれば、永住権を、とれるかも知れん」

「まさか……」

清原は「永住権」という言葉に弱い。つい、谷の目を見た。

谷は微笑を浮かべ、清原の肩をたたいていった。

「心当たりを調べてみよう。ただ、たとえ空手でやって行くにしても、やはり、何より金が要る。日本だって、アメリカだって、カナダだって、金がなければ何もできんし、また金さえあれば、何でも何とかなるのよ。その意味で、きみ、お互いのために、口銭のこと、まじめに考えてみる必要がある」

清原は、低い声のまま、もう一度、逃げるようにいった。

「空手は、関係ないんです。ほんの少ししただけで、とても何かの役に立つものじゃありません。やらなかったのと同じこと。忘れて下さい」

3

カナダでは、おそい春を追いかけて、急ぎ夏がやってくる。大小さまざまの花がいっせいに咲きみだれている上に、稲妻がきらめいたりする夜がある。そこで、本社から出張する専務を迎えての会談を持つためである。

いや、会談というのは、名ばかり。実は、専務は夫人同伴で、バンクーバーを起点に、カナディアン・ロッキーへ観光旅行にやってくる。そのガイド役に、清原がバンクーバーまで出迎えるという段取りであった。

日本からの飛行機が早朝着くため、清原は、前日の夕方、バンクーバー入りした。

バンクーバーには、清原より二つ若い小沢が、やはり単身で駐在している。ビジネス・センターのはずれにあるそのワンマン・オフィスで落ち合ってから、二人は夕食を食いに街へ出た。

行先は、スタンレー公園に近い日本料理屋「芦野」。清原の行きつけの店である。

調理場が見とおしになるスタンドに腰を下ろし、おしぼりを使っていると、小沢が口を寄せるようにしてささやいた。

「他にもいい日本料理屋があるのに、清原さんは、よほど、ここが気に入ってるんですねぇ」

「……うん」

「どうしてかなあ。とりわけ料理がうまいとは思わないし、きれいな仲居が居るわけでもないし」

うなずきはするものの、清原は答えなかった。そして、目は調理場に注いでいた。

二人の料理人。一人は、盛りつけに余念がない。いま一人は、器用にエビの殻をむいている。

包丁を直角に立て、針のような刃先で、すばやく穴をあけたかと思うと、刃を光らせながら回転させ、精密な旋盤のように、殻をはいで行く。

それは、ひとつのみごとな「技術」であった。

〈どこまで修業すれば、ああいうことができるのか——〉

清原は、内心の動きを気づかれまいとしていった。

我を忘れて凝視している中、清原は自分を見つめている小沢の視線に気づいた。

「目の前でこうやって見ていると、いかにも新鮮な感じでいいんだよ」

「わたしなんか、むしろ楽屋裏など見えない方がいいんですがね」

「そうですか。清原は、続けていいそうになる声をのみこんだ。

〈おれは楽屋裏が見たいんだ。日本料理の「技術者」たちの姿を見たい。この国では、料理人も「技術者」の扱いを受け、永住権取得の対象になる。いわゆる西洋料理は、修業年限や経験の条件がきびしく、審査もうるさいが、日本料理は、それほどでもない。おれのような文科系出身者でも、何とかもぐりこめそうな、たったひとつの「技術者」への道――それが、日本料理なんだ……〉

もっとも、料理は、きれいごとだけではない。血なまぐさく、きたない作業もある。

それに、清原は、もともと料理は女のものと考えている。結婚したあと、台所になど立ちそうにない男である。そういう男が、明け暮れ、調理場に立ちつづけることができるかどうか。

調理場の雰囲気、仕事の内容、それに対する自分の気持の反応。そういったものを、いささかでもたしかめたい気持があって、清原はバンクーバーへ来る度に、この「芦野」へ寄るのであった――。

子持わかめや、まぐろのつくりなどで、二人は日本酒をのみはじめた。

酒が入ると、小沢の陽やけしたココア色の顔が、光沢を帯びてくる。うらやましいほど、健康そうであった。

「相変わらずゴルフか」

「ええ、このごろは、毎日、やってます」

「毎日?」

「日本とちがって、ここでは、出勤前にも、仕事が終ってからでも、ワンラウンドできますからね」

カナダの夏は、日が永い。午後九時近くまで明るい。だが、それだけでなく、だれにも監視されないワンマン・オフィスぐらしの身なので、日中でも、しばしばゴルフに出かけているのであろう。

清原は、それをせんさくする気はない。

清原には、カナダ移住の夢があり、小沢には、ゴルフぐらしの夢がある。それぞれ勝手な夢があるからこそ、無名の小さな会社に、あまんじてつとめているのだ。

お互いに、カナダ興産に生涯を捧げて大成を期そうなどという気持はない。また、それに値する会社でもない。

とりわけ、小沢は、父親が燃料の卸売会社を経営しており、いずれ、あとを継ぐと見られる身であった。「腰掛け」のつもりが、はっきりしている。

小沢は、はじめからバンクーバー駐在を希望して入社、ゴルフやゴルフ場のことばかり口にしていた。現代版の質のいい道楽息子のひとりかも知れない。

つまり、人生の一時期、月給をもらって、ゴルフ留学に来ている、という見方ができた。清原のように、悲痛な出国の動機はない。にくらしいほど軽やかな人生を送ろうと

している若者であった。

清原は、からかうようにいってみた。

「ゴルフのプロにでもなる気かい」

「ちょっと、そこまでは行かないでしょう」

まともに受けとめられて、清原は興ざめし、黙った。

小沢は、ココア色の顔を輝かせていった。

「とにかく、日本で一生かかってやる分を、この二、三年で集中してやるつもりです。日本に帰ったあと、ゴルフがやれなくても、後悔しないくらいに」

清原は、無言で盃を口に運んだ。〈どうぞ御勝手に〉とでもいう他ない気分であった。

ふたたび調理場に目を移すと、料理人の一人は、アジを開き、他の一人は、ちらばった臓物をかたづけていた。

清原は、あわてて視線を戻した。

小沢が高い声で話しかけてきた。

「この前、ゴルフ場で珍しいひとの相手をしましたよ」

小沢は、有名な日本人テレビ・タレントの名をあげた。

「ショウ・ビジネスにでも来たのかい」

清原が気のない質問をすると、

「いや、まだ、こちらで通用するようなタレントじゃありませんよ。でも、がっちり金を貯めたんですね。今度、バンクーバーに日本趣味の店を出すというんです。行く行くは、こちらに腰を落着け、ゴルフ三昧の老後を送りたいなどと、うらやましい話をしていました」

清原は、ききとがめた。

「老後をここで？　じゃ、永住権でもとれるというのか」

「そのあてがあるんでしょうね」

「しかし、技術者でないと、永住権はとれないはずじゃないか」

「そうともいえませんよ。たとえばカナダの女の子ひっかけて、結婚でもすれば。簡単なことですよ」

「しかし……」

「それより、彼、店に相当の投資をするつもりでしょ。投資家は歓迎されますよ。とにかく、ここは、資本不足に悩んでいる国ですからねえ」

「金を注ぎこめば、永住権がとれるとでもいうのかい」

口調がこわくなっていたらしい。小沢は、清原の顔を見直して黙った。

清原の耳には「金さえあれば、何でも何とかなる」といっていた谷の声が、こだましてくる感じでもあった。

4

食事を終ったあと、清原は、小沢と別れた。

ひとり、ホテルへ戻る途中、評判の香港製の空手映画のかかっている劇場を見つけ、酔いに誘われるようにして、入って行った。

だが、映画そのものは、つまらなかった。なるほど、最近の映画館には珍しい満員に近い客の入りであった。

ウソが目についた。それに、むやみに人を殺すので、見ていて苦痛になり、途中で席を立った。

〈空手は人を殺すものではない。芝居の上でとはいえ、それほど無造作に殺人が許されていいものなのか。おれは、一人の部員を殺しただけで、いまもこんなに心に重荷を感じているのに〉

にがい気分であった。酔いに誘われてとはいえ、空手映画を見に入ったことを後悔した。

気分を変えるため、ホテルに着くと、またバーへとびこみ、ウイスキーをあおった。

少しふらつく足で、エレベーターから部屋へ。

だが、忘れようとしているのに、映画の場面が、いっそう鮮やかに、まぶたにちらついてくる。

青空の下、海を望む丘陵の上で、あるいは、広々とした御殿風の廊下で、思う存分の乱闘をくりひろげる白衣に黒帯（ブラック・ベルト）の男たち。宙を切り、かけ廻り、とび上り……。

その空間の広さが、清原には、ひどく印象的であった。

それに比べて、清原が四年を送った大学の空手部の道場の狭さ。十坪足らずの道場は、冬でも、汗のにおいで窒息しそうであった。死亡事故も、ひとつには、あの狭さに原因があったはずである。

もともと、性格的にきびしく気むつかしいところのある清原は、キャプテンになってから、部員を猛訓練に追いこんだ。

他校との競争心もあったが、それ以上に、猛訓練によって、部の空気や部員の性格を、どこまで変えることができるか、しめつけてみようという気持があった。

その日は、秋のはじめの暑い日であった。

夏休みのブランクを埋める意味もあって、グラウンドを何周も走らせ、兎（うさぎ）とびをやらせ、巻藁（まきわら）を突かせるなど、シゴキといっていい鍛え方で、二時間あまりもたっぷり汗を流させた。

学期はじめは、そうした基礎訓練だけで終るのがふつうであったが、清原は、そのあ

と、自由組み手、つまり、試合をやらせることにした。

「キャプテン、もうやめた方がいいですよ。みんな、ふらふらしてます」

マネジャーが心配そうに忠告するのに、どなりつけた。

「ふらついているのは、わかってる。連中のふらつきをたたき直すために、やらせるんだ」

多少、けがをするやつが出るのは、覚悟していた。

そして、事故は、一年生同士の組み手で起った。廻し蹴りが横腹にまともに命中して、内臓を破裂させた。

もともと、足技、とくに廻し蹴りは、微妙なコントロールが効かない。紙一重のところで止めるという約束の守りにくい技であった。

あとから考えれば、せまい道場の中、蹴る方も蹴られる方も、当然、起るべき事故といえた。

ふらふらに疲れた状態で試合させれば、当然、起るべき事故といえた。

清原は、警察の取調べを受けた。その結果、法的な裁きこそ免れたが、「死のシゴキ」と、大学の内外から責任を追及された。いや、清原自身としては、たとえ責任を問われなくとも、生涯、罪人になる思いであった──。

一度ベッドにねころんでから、清原は起き直って、鞄をひき寄せた。

その中から、うすい書類をとり出す。清原がお守り札のように大切にしている書類で

ある。それも、ただ愛蔵しているというだけでなく、幾十回となく読み返し読み返して

きた書類である。

それは、海外移住事業団の発行したもので、カナダ移住の案内と手続きが記されてい

た。

清原は、最初から読み出した。暗記している文章ばかりである。

まず、カナダの移民政策の基本について。

「問題なく吸収しうる限り、毎年多数の移住者の入国を受け入れ、かつ必要があればこ

れを奨励することは、カナダ自身の利益である」

日本の二十七倍の広さのカナダが、それこそ両手をひろげて待っている、といわんば

かりであった。

気の遠くなりそうなほど広大なカナダ。ひろがるのは、山と森と湖と大平原。人間の

においさえ稀薄なカナダ——ここでは、人間世界のいやな思い出も、大自然の青い風が

きれいに洗い去ってくれそうであった。

ただ、現実に移住が容易というわけではなかった。

個人の移住申請が認められ、永住権を与えられる基準は、

「カナダが必要とする技術を有し、カナダに到着後、容易に就職できる見込みのある

人」

という一般的な表現で示され、「技術者」であることは明瞭だが、どういった種類の

どの程度の技術かということまでは明らかにされていない。

これを補う意味で、その書類では、これまで移住を許可された職種を列挙することで、

申請者の参考に供していた。

その職種とは——これも、清原が暗誦して言えるものばかりだが——。

機械、電気、電子、土木、化学の各技術者。機械工、電気修理工、製図工、自動車整

備工、家具製造工、ひな鑑別師、庭師、理容師、美容師、そして、料理人。

この「料理人」という項目にきて、清原はようやくほっとする。それより前の職種は、

清原にとっては、すべて月世界の職業も同然。人生をはじめからやり直さなければ近寄

ることもできぬ種類ばかりであった。

それに比べて、「料理人」なら、何とか……。

書類を胸にのせ、清原はベッドに寝ころがった。街を走る車の音が、かすかにきこえ

てくる。

「芦野」の調理場の光景が、まぶたに浮かんだ。やはり、一生を預けて気持よく働ける

職場とは思えない。とすると、いったい、どういう道があるのか。

清原は、また書類をとり上げた。「料理人」のあとには、「スキー・インストラクタ

ー」という項目もある。これは、理工科系「技術者」になるほど絶望的な道でないとは

いえ、いまさら修行をはじめて間に合う年齢でもあるまい……。

清原は書類を鞄に戻した。

移住への門は、清原にとっては、狭いというより、閉じられたも同然である。とすると、やはり、「裏口」を考える他はないのか。「投資家は歓迎される」「カナダの女と結婚さえすれば」などといった小沢の声が、耳によみがえってくる。

バンクーバーというカナダと日本の接点の土地にくると、清原は、いつも寝苦しい思いをするのであった。

　　　　5

専務夫婦を案内し、清原は、カナディアン・ロッキーを廻った。

専務は、Q鉱業の部長を定年退職してから送りこまれてきた男である。二期四年をつとめたが、後輩の部長が定年になって送りこまれてくるため、近く退任の予定になっていた。いかにもトンネル会社らしく、古ぼけた列車がひとつ出ると、次の列車がまた入ってくる形である。そして、在任中、むしれるだけのものをむしって行く。今度の旅行も、夫婦ともども、最後に大いに会社の金で豪遊しておこうというもくろみであった。

ただ、清原は、その案内が苦痛ではなかった。清原はロッキーが好きである。何度行

ってもいいと思っている。

「フィフティ・スイッツァランド・イン・ワン」つまり、「五十のスイスを一箇所に集めた」といわれるほどのスケールの大きな大自然。そこでは、人間など重量を失ってしまう。

山々は荒々しく、日本の山のような人なつっこさはない。神秘的で無言。合掌したくなるような山も多い。

灰色の岩肌だけの山、塔のような山、褐色の墓碑に見える山、刃のような稜線の山、古城に似た山、方形の山……。その間に波打つ針葉樹の樹海。そして、エメラルド色や、ヒスイ色の湖。白金色に光る氷河。

専務夫婦は、すっかり堪能し、バンフの駅でバンクーバー行きの特急列車にのせて見送る清原に、いつまでも手を振って帰って行った。

そのあと清原は、ふたたび、ひとりだけで大自然の中に浸りたかった。

あと一日、ゆっくり、ひとりだけで大自然の中に浸りたかった。それに、会っておきたい女性がいた。ホテルへアルバイトにきているメイ・ジャニスという女子大生である。

清原は、前年の夏来たとき、食堂でウエイトレスをしているメイと、親しく口をきくようになった。亜麻色の髪をし、少しソバカスのあるメイは、素朴で、いかにも大自然の中の娘という感じがあり、清原は好感を持った。

メイの方は、清原の渡した名刺の本社のアドレスを見て、声をあげた。

「あら、ギンザに在る会社なのね。すてき！」

銀座の名前は、こうしたカナダの山奥にまでとどろいているようであった。

清原は苦笑した。

その銀座六丁目に在る会社は、実は、エレベーターもない貸ビルに入っている。それも、一階に喫茶店、屋上にビルの持ち主の住まいがあるような小さなビルである。

各階の面積は十五坪足らず。カナダ興産は、その二、三、四階を借りていたが、四階は役員で占有しているため、三十人あまりの社員は、せまい二つのフロアに押しこめられ、肩や肘をぶつけ合うようにして仕事をしている有様。「そのうち、酸欠で死人が出るぞ」という冗談にも、迫真性があった。

せまいながらも、四階だけはがらんとしている。社長は親会社の常務なので、ほとんど現われず、専務ひとり。このため、親会社の役職者たちが客などと落ち合って銀座にくり出す基地に使ったり、ときには、子供や女と待ち合わせに用いたりする。むしろ、そうした便宜のために、わざと銀座にビルを借りたのではないかと思わせるほどであった――。

すべてが、あまりに、みみっちく、いじましい。清原は、二度とその「銀座の会社」へ帰る気はしない。

もっとも、しばらくの銀座ぐらしのおかげで、メイに対しギンザの風俗を話してやるには事欠かない。また適当に銀座の話をと、心はずませてやってきたのだが、食堂にメイの姿はなかった。

清原は最初は落胆したが、それだけに、ホテル付属のゴルフ場へ専務の伴をして出かけ、コース内の茶店にメイを見つけたときには、よろこびも倍加した。

ただ、その場では、専務の手前、あいさつ程度の会話しかできず、もう一度、ひとりでとって返す必要があった。

ホテルに戻りコースに出たのは、午後おそい時間であった。天候はくずれかけ、空には墨色の雲があわただしく動いていた。

茶店だけを訪ねるということもできず、とにかくゴルフの恰好だけして、白いボールを気ぜわしく打ちながら、茶店へ向かった。

人影はまるでなく、山から走り落ちる滝の音や、コース沿いのボー川の瀬の音が、ときどき、きこえるばかりである。

その中、大粒の雨が降り出し、青白く稲妻がきらめきはじめた。もはや、引き返しもできず、清原は茶店めがけて走った。

茶店は丸太小屋で、ひさしの突き出た下に、切株でつくったテーブルと椅子がある。

メイは、その奥のカウンターで区切られた小部屋風のところに居るはずであったが、姿

が見えない。

帰ったはずはないと思い、声をかけると、カウンターの向うから、亜麻色の髪、そして、おびえ切った目が見えた。次の瞬間、その目が大きく見開き、亜麻色の髪がおどり上った。

「うれしい！　はやくこちらへ入って、早く」

カウンター脇のドアを開け、清原を迎え入れるや否や、メイは清原の胸にとびこみ、抱きついてきた。

「こわかったの。どうなることかと思って」

清原はとまどいながらも、あまい匂いのする体を抱きしめた。悪天候のため、ゴルファーが出なかったせいもあろう、褐色(ブラウン・ベア)熊がその茶店を襲ったという。小屋の背後の食物屑入れのドラム罐が、ひっくり返されていた。熊に備えて、小部屋の開口部には金網がめぐらせてあるものの、メイひとりでは、心細くてならなかったのであろう。

メイは体を離しかけたが、今度は、はげしく稲妻がきらめき、雷鳴がとどろいた。岩山に、すさまじいこだまが返る。

メイは、ふたたび清原の胸に抱かれた。唇がふれ、やがて、おずおずと舌がふれ合った。

雨は沛然と降り注ぎ、コースをめぐる針葉樹林も見えなくなった。
ただ稲妻がきらめく度に、稜線の残雪がほの白く光るばかりであった。

6

その夏、メイは度々、カルガリの清原のところへ遊びに来た。
バンフからは、車で一時間半。「ショッピングに来た」といっては寄り、あるときは、
「ギンザの話が聞きたくなって」と、いたずらっぽく笑いながら、やってきた。
大学の同級生が、夏休み、日本へあそびに行っているそうで、
「友人が帰ってきたら、今度は、わたしがギンザの新しいニュースを教えて上げる」
と、言ったりもした。
「それは、ありがたい」
と、受け流しながらも、清原は、カナダ興産の入っているような小さな貸ビルが、メイの友人の目に入らぬようにと祈った。
ウィニペッグの駐在員との打ち合わせに出ようとするとき、メイが訪ねてきたことがあった。
カルガリと同じアルバータ州の北部、州都エドモントンに生まれ、いまもそこの大学

に通っているメイは、まだ一度も平原州へ出たことがないという。

「いっしょに行くか」というと、亜麻色の髪を振って、こっくりうなずいた。

テッド谷の強引な説得に負けて、清原はペンドロップ炭鉱二十万ドルの仕事を、アーク商会を通さず、直接、谷に扱わせてやった。その謝礼として、一・五パーセント、三千ドルのリベイトが清原名義の預金に積み立てられている。これまでになく、懐は豊かであった。

往路は飛行機。ウィニペッグでは、最高級のホテルをとり、そこでメイと結ばれた。

そして帰りには、メイの希望で、大平原を横断するカナダ太平洋鉄道にのった。

その二階の展望車に、身を寄せ合っていると、まるで新婚の気分であった。

清原は、メイのあたたかな腰を片手に抱きながら、眼下の風景に見とれていた。

心は、はずんだ。カナダが、いまは清原の血の中に入ってきている。メイと結婚すれば、清原はついにこの風景の国の人となることができるのだ。

そう思うと、以前にも見た風景が、いっそう引き立って見えた。

もっとも、それは、空と畠だけで、他には何もない風景である。ロッキーのあるアルバータ州とはちがい、平原諸州は、どこまで行っても、小山の影ひとつない。空が信じられぬくらい低いところからはじまり、その広い空とはり合うように、広大な農地が続いて行く。

いったい、だれがどこから来て、どう耕すのか。こんなにつくって、地球上で食べ切れるのか、と思うほど、視野の果てまで、同じ色の平らな緑がひろがる。

そこでは、すべてが静止していた。

うずら豆でも散らしたように見える牛の群。その牛たちも、置物のように動かない。行けども行けども、人の姿はなかった。たまにサイロや赤い牧舎を見ることがなければ、タイムマシンにのって、人類誕生以前の世界に戻ったのと同然であった。

単調な風景を飽きもせず眺めている清原に、メイはいった。

「ただ広いだけなのよ」

「そこがいいんだ」

「どこがいいの」

清原は、説明に困った。それに、他人の肩とぶつかり合わなければ生きて行けないような日本や東京の狭さを、今後は別世界のこととして、思い出したくない気分であった。

やがて夕日が赤みを強めながら、ゆっくり地平線の果てに沈んだ。淡青色に澄んでいた空が、しだいに色を失って行く。

そうした大平原の風景を窓の向うに流したまま、二人は個室寝台で、はげしく愛を交わした。

疲れて横になると、いつか大きな月が出ていて、大平原は窓べりに平行に引いたひと

つの黒い帯となり、いつまでも、まっすぐに延びて行くのであった。

7

メイといっしょにカルガリのアパートへ戻ったところへ、ふいに谷が訪ねてきた。
事務所（オフィス）が留守のままなので、アパートへのぞきに寄ったのだという。
やむを得ず、清原はメイを紹介した。
すでに清原はメイにプロポーズし、メイの承諾を得ている。「許婚者（フィアンセ）」というべきところだが、用心深く日本語で「女友達」といっておいた。結婚して永住権を手にしてしまうまで、二人の関係によけいなじゃまをされたくないという気持からであった。
そのあと、清原はワンマン・オフィスで谷と落ち合った。
谷の用件はわかっていた。ペンドロップ炭鉱から百二十万ドルの追加注文があり、それについても、やはりアーク商会を通さぬのはもちろん、谷への口銭（コミッション）を、今度は五パーセントでなく、五・五パーセントにしろというのだ。もちろん、清原には、前回同様、一・五パーセントのリベイトを渡すという。
清原は、きっぱり、はねつけた。「筋を通して、アーク商会扱いにする」と、いい切った。

「それだと、きみにも金が入らないよ」

「もちろん、要りません」

「金がなければ、何もできないというのに。きみの欲しい永住権だって」

谷はそういってから、急に笑顔をつくり、

「きみに明るいニュースがあるよ」

空手の黒帯なら、運動しだいで、永住権をとる可能性が見つかった。アメリカで、空手が実力四段以上なら、無条件に永住権を獲得できることがわかった。そこで、まず、アメリカの永住権をとっておき、次にカナダ籍へ切り替える方法が考えられる、というのだ。

以前なら、清原はここで目を輝かすところであった。「実力四段」をどう査定するのか知らぬが、腕には自信があった。

ただこの日の清原は、むしろ、そっぽを向くようにしていった。

「空手の話は、もう結構です」

「どうしてまた……。きみは、カナダに永住したいんだろう」

「それはそうですが、そのために空手を方便にしたくはないんです」

「どうして急にそんなことをいいだすのかね」

「……」

「技術者でもないきみが永住権をとるには、何かを方便にしなくてはならんのだよ」

「それは、わかってます」

「それなら……」

　もう谷の顔も見たくない気分であった。一度だけとはいえ、谷の説得に負けたことが口惜しかった。金そのものより、永住権への方便が欲しかったため、気を許したのだが。谷は論法を変え、しきりにねばったが、清原の態度は変わらず、最後は押し出すようにして谷を帰した。

　久しぶりに、せいせいした気分であった。ひとりだけのオフィスが、いつもより広く見える感じであった。

　窓に寄り、はるか西空の山の連なりを見、バンフに戻って行ったメイのことを想った。別れたばかりなのに、もう胸がかわく思いがした。すぐにでも結婚し、いっしょに暮したい衝動を感じた。

　大きく腕をひろげて、深呼吸する。にわかに広々とした人生の大道がひらけた。もがくようにして求めていたものを、あの亜麻色の髪の娘が、気軽に運んできてくれたのだ。メイのおかげで、もはや空手のことも忘れ、また谷など突き放し、脇目もふらず大股に歩いて行くことができる。

　といって、この結婚は、方便などではない。ごく自然に愛し合った結果、結ばれたと

いうことである。

電話が鳴った。小沢からであった。

〈五日ばかり休暇をとって、バンフのホテルに来ている。集中的にゴルフをやるつもり
だが、一日ぐらい出かけて来ないか〉という。

清原は、これも、きっぱり断わった。

あのゴルフばかめ。おれは、ちっぽけな白いボールなど追う気はない。おれは、カナ
ダの娘と、カナダを得た。

清原は、昂然とした気分であった。

もはや、バンクーバーへ行き、「芦野」の調理場をのぞくこともない。日本料理など、
くそくらえである。おれは、カナダと、カナダの娘を得た――。

8

バンフに戻ったメイからは、連絡が絶えた。電話もなければ、ふいに訪ねてくること
もない。

十日経ち、二十日経った。

ホテルに電話しても、電話口に現われない。清原は気が気でなくなった。夏期だけ営

業する山のホテルは、九月半ばには閉じてしまい、従業員は下山する。メイも、エドモントンへ帰ってしまうはずである。

清原は、ホテルまで足をのばしたかったが、季節的に仕事に追われる時期で、オフィスが空けられない。

その中、ふいに、いたずらっぽいソバカスの顔を見せてくれるかと、祈るような気持でいたのだが、その期待も裏切られ、ホテル休業の報せをきいた。

清原は、エドモントンのメイの自宅へ長距離電話をかけ、三度目にようやくメイを電話口へ出させた。

「いったい、どうしたんだ」

問いかける先を遮り、メイは高飛車にいった。

「もう、あなたと会いたくないの」

「どうしてだ」

「それより、あなた、どうして、わたしに近づいたの」

「いまさら何を……。きみが好きだからじゃないか」

「わたしじゃなくって、カナダの国籍が好きなんでしょ。そのため、わたしをねらったんだわ」

「ばかな。どうして、そんなことを」

「きいたのよ。あなたのことをよく知ってる日本人から」

「だれだ、そいつは」

「……」

「なぜ、きみは、そんな中傷を信じるんだ」

「だって、一人のひとからきいただけじゃないもの」

「一人だけでない?」

清原に断わられたあと、小沢がバンフへ谷をゴルフ相手に呼んだという話はきいていた。何気なくきき流していた話なのだが……。

「その男たちとは、谷と小沢だろう」

「さあ、もう忘れたわ。それに……」

「それに何なんだ」

「あなたは、わたしの期待を裏切ったわ」

「ぼくが何を」

「わたしのボーイフレンドが、ギンザであなたの会社をさがしてみたの」

「ボーイフレンド?」

友人ときいて、清原は女子学生と思いこんでいた。それが、ボーイフレンドだとする

と……。

「いくらさがしても見つからないんだって。そのアドレスには、喫茶店の会社だけ在って、オフィス・ビルディングなど見当たらないといってきたわ。あの名刺のアドレスは、いったい何なの」

「いや、その喫茶店の上に……」

メイは、きいていなかった。

「わたしは、あなたを、ギンザにりっぱなオフィスを持つ会社のりっぱな社員と考えていたの。そういうあなたに心から愛されてると思っていたのよ。それが、こんなにあれこれちがうことばかり出てきては、とても、あなたとつき合う気になれないわ」

「ちょっと待ってくれ。ぼくは本気できみを……」

だが、電話は切れた。何度かけ直しても、もうメイは出なかった。

長文の手紙を書いたが、返事はなかった。

十月はじめ、ようやく仕事が一区切りついたところで、エドモントンまでとび、メイの家を訪ねたが、メイはすでに男友達と同棲して、家には居ない、ということであった。

　　　　9

「そんな中傷をしたおぼえはない」

清原の追及に、谷は大きくかぶりをふり続けたあと、清原をなだめるように言った。

「この夏、彼女も、ちょうどボーイフレンドが居なくてさびしい時期だったのだろう。そこで、きみと彼女の両方が、たのしい思いをした。そう考えれば、いいことじゃないのか。トラベル・メイトとでもいうのかな、いっしょに旅行する間だけの恋人契約もあるのだよ」

清原は、応えなかった。谷の顔など見たくもない気持であった。

すると、谷は、ひとりごとのように、つぶやきはじめた。

「ここの国の人間になるというのは、たいへんなことだよ。ぼくらがこれまで、どんな思いをしてきたか、きみなどにわかるものか。戦争前、ぼくの一家はバンクーバーで雑貨商として成功していた。それが、開戦と同時に、いきなり、こんな山の中へ着のみ着のままで追い払われた。たいへんな移動だった。とにかく、この国は大きすぎるだものね。大きすぎるというのは、人間を苦しめすぎるということもあるのよ。幼かったぼくの妹は、その移動の間に死んでしまった。そして、ぼくらは知らない土地に投げ出され、乞食のようになって、やり直ししなければならなかった。日系人は、みんな、みんな、そうした苦労をした上で、いま、この国の人間になっている。そこへ、気楽に仲間入りされては、たまらないのよ」

それまでにないきびしい口調であった。そして、そういい終ると、谷は清原の言葉を

待たず、背を向けて出て行った。

それからしばらくして、清原は突然、本社への転勤命令を受けた。「庶務課勤務ヲ命ズ」というだけであり、仮にもワンマン・オフィスの主である清原にとっては、左遷でしかない。それに何より、清原がカナダ在勤を望んでいることは、本社も知っているはずである。

専務に、国際電話で抗議した。専務ははじめ、「本社の若い連中が早く海外へ出たがっているので」などといっていたが、清原がくり返し不服を訴えている中、語調が変わった。そして、ペンドロップ炭鉱のリベイトの一件についてふれてきた。

「たかが三千ドルのこととはいっても、問題が問題だからね。代理店の連中に対して、責任を明らかにしなくては」

そうした話しぶりには、清原が谷を操って、アーク商会を出し抜かせたというニュアンスがあった。露見を予想した谷が、すばやくそういう風に話をつくって、本社へ報告したのであろう。

谷は一方、その論理でアークに詫びを入れ、相変らず副支配人の地位を保っているようでもあった。

大きすぎる国に生き残るには、そうした権謀も必要なのであろう。

10

帰国を前にした一日、清原は動物園に出かけた。
園内には、相変わらず人の姿はまばらで、錆朱色をした楓の落葉が、風に押されて走り廻っていた。

いつかと同じ狼の檻の前に来て、わざと見つめていると、狼はまた野性をとり戻したように、草色の目を光らせ、低いうなり声を上げはじめた。ただ、とびかかりはせず、声だけでおどしにかかっている。

清原は、いまは狼にまで軽く見られているのを感じた。それも、もはや、この国には無縁の人間であると見られているためであろう。

流れに沿って歩き、握手した猿のところまで来たが、そこには「日本猿」の表示はそのままだが、猿の姿はなかった。

帰りがけ、係員に聞くと、日本猿は二日前、肺炎で死んだところだといった。

「やっぱり、気候が合わなかった。それに、ひとりぼっちで、淋しかったのだろう」

係員はそういってから、思いついたように、清原の様子を見た。

〈あなたもひとりで淋しそうだね〉

と、続けそうな顔であった。

清原は、背をはって、動物園を出た。

この国に居て、淋しさなどあるものか。ここには夢があった。

淋しいのは、これからだ。せまい銀座の貸ビルの中の本社。明け暮れ、肘や肩のぶつ
かり合う戦場。溢れている人間たちの中で、夢のないことこそ、孤独なのではないのか

──。

清原の歩いて行く先には、大きすぎる国が、秋の日を浴び、のびやかにひろがってい
た。

（「オール讀物」昭和四十九年六月特別号）

黄色い月光族

1

埠頭の建物は、巨大な倉庫か雨天体操場のようで、殺風景そのものであった。汐のにおいをふくんだ冷たい風がよどんでいる。

陸側の壁に向かって、「A」「B」「C」「D」……と記した文字板が天井から吊るされ、客は自分の姓名のイニシャルの文字の前に並んで立つことになる。

そこで、おくれて運ばれてくる手荷物を受けとり、税関の検査を受けるわけだが、う

そ寒さに背をまるめた人々が一群また一群と立っている様子は、どこか捕虜収容所の整列風景を思わせた。

〈ここがサンフランシスコか、ほんとうにアメリカなのか〉

アメリカへアメリカへと、熱に浮かされる思いだったのが、足をすくわれる気がした。

海側に向かって開いた大きな口には、いま下りてきたばかりのプレジデント・クリーブランド号の白い船腹が見える。

ほどよい暖房、飽きることのない豪華な食事、さまざまのゲーム、夜毎のパーティ

　……。たのしみやあたたかみのすべてが積みこまれていたその船腹に、ふっと駈け戻りたい衝動を感じた。

　その衝動を冷笑で押し殺し、浦井峯高は自分の頭文字である「U」の前で、スリーシーズン・コートの腕を組んで立っていた。

　少し先に、柵を隔てて出迎人たちが声をあげたり、手を振ったりしている。船客たちの中からも声がとぶ。

　だが、それは、浦井には全く関係のない異邦人の人垣であった。

「浦井さんも、お迎え見えてる?」

　隣りの「T」の列から、弘子が眼を大きくしながら声をかけた。二、三年私費留学するという国会議員の娘である。

　浦井が無言で首を横に振ると、

「わたしは来てるのよ。ほら、あれ」

　出迎人の一画を指す。浦井は興味がなかった。

「お迎え見えるはずなんでしょ」

　弘子は重ねて訊いてくる。

「いや」

「それなら、よかったら、わたしとごいっしょにいかが」

〈どこまでいっしょにと、いうんだろう。ずるずる同棲する肚でもあるのか。その気な

ら、容赦なくいただいてやるぞ〉

東京での荒んだ心が、ふっと顔を出す。その心を打ち消すように、浦井はまた首を横

に振った。

「おれのことなら、心配してくれなくっていいんだ」

「でも……」

「大丈夫だよ。子供じゃないんだから」

「あら、そんな意味じゃなくって……」

弘子は高い声を立てた。笑った恰好だが、声には失望もまじっていた。

長身で彫りの深い顔。学生まがいの若者が多い中で、しぶく落着き払っている三十男。

そのくせ、ダンスはずばぬけてうまい。浦井は、女の船客に人気があった。

浦井はまた、あまり無駄口をきかず、自分を語ることもなかった。そのため、いっそ

う浦井を好ましく思った女もあった。弘子もその一人である。

浦井がほんとうのことを話したら、この女はどんな表情を見せるだろう。

大男の荷扱夫が、手押車にトランクやスーツを積んできた。荷札を見て、名前を呼ぶ。

弘子のもその中にあった。

荷扱夫はチップを無造作にポケットに投げこみ、硬貨の音をじゃらじゃらさせながら、

大股に車を押して、また船へ戻って行く。何人もの荷扱夫が、そうして船との間を往来
していた。「生活」が、その男たちの背ににじみ出ている。あの硬貨が積り積って、妻
子を食わせ、車を買い、また男の酒代にもなっているのかと、浦井はぼんやり考えた。
税関関吏が廻ってきた。大きな体を屈め、二言三言機械的に質問しては、弘子のスーツ
ケースにマークをつけて行く。

弘子は、ちょっと顔を紅潮させて答えている。ピーナツ型の顔に眉が濃く、その日は
とくに口紅も濃かった。紅をつけぬ方がかわいい顔なのにと、浦井は眺めている。

通関を終ると、別の荷扱夫が寄ってきて、手押車に弘子の荷物を積みはじめた。

ふり返った弘子は、上気した顔を浦井に向けた。

「あなた、まっすぐニューヨークへいらっしゃるのね」

「うん」

ここまでは、エコノミイ・クラスでもいちばん安い大部屋。この先ニューヨークまで
はバス。最低の費用でたどりつくのだ。

「わたしも、いつかニューヨークへ行くわ。そこでお会いしたいわね」

「うん」

「カーネギー・ホールかなんかに出演なさってて、わたしなどに見向きもしないんじゃ
なくって」

浦井は苦笑した。音楽関係を勉強に行くとは言っているが、それは、そうした高級な類いのものではない。

浦井は首をすくめて言った。

「街角に立って、バイオリン弾いて物乞いしてるよ」

成功を望んではいる。腕に自信はあり、人生のすべてをそこに賭ける思いでやってみるつもりだ。

だが、その結果、舗道の石だたみの上に、ぼろ屑のように投げすてられ、雨に打たれている姿となるかも知れない。それもまた致し方ない。これまでの報いと考えることだ。

他の日本人たちとちがって、浦井は前途の希望に胸ふくらませてだけやってきたのではない。石もて打たれるようにして、日本を追われてきたようなところがある──。

どういうコネがあるのか、若い男二人がゲイトをパスしてやってきて、弘子にていねいに挨拶し、荷扱夫といっしょになって手荷物を運びにかかる。お別れである。

弘子は、未練そうに浦井に言った。

「サンフランシスコはいつまで?」

「さあ……」

「何かわたしでお役に立つことがあったら言って。……領事館で訊いてもらえば、わたしの居所はわかるわ」

保守党幹部の一人である父親から総領事館宛(あて)に連絡が行っているので、弘子は大船(おおぶね)にのった気分で居るようであった。〈総領事館は代議士一族のものか〉と、浦井には、反撥(はんぱつ)したい気分もあった。浦井には、その先、何の保護もない。国の保護の及ばぬところへ、身を沈めようとしているのだ――。

「それより、きみ、しっかりやるんだぞ」

「え……」

浦井は続いて叫びかけたいのを、こらえた。

「さようなら、またね」

弘子は手を振りながら去って行く。

根(ね)はいい娘のようだ。人を疑うことを知らない。だが、それだけに、それから先、どうなることか、アメリカにも、自分のような男が居る。悪い男というのではない。そう

なってしまう男が居る。そして、女はそう応(こた)えてしまう。そのときはそのときでいい。その結果の痛みと悲しみを伝えられぬのが、もどかしい。

〈留学なんて、どうでもいい。早く女の幸福をつかむんだ。　結婚という幸福を――〉

浦井の手荷物は、まだ運ばれて来ない。

日本から三百名あまりの船客。その中、一割弱が日本人。ほとんどエコノミイ・クラスで、二週間の船旅の間に、すっかり顔馴染(かおなじみ)になっていた。

通関が進むにつれ、その親しんだ顔が一つまた一つと減って行く。

画家志望の大阪の青年、農業技術の実習生、スーパー経営を勉強するという和歌山の金持の息子、国際的レーサーになりたいというスピード狂……。

若い彼等は、みんな夢にとりつかれている。先のことしか考えていない。それに、彼等は少数の例外を除いて、いわば白昼堂々と志望通りの道へ進めるわけではない。観光客ということでそこに下り立ち、それから先は日陰者として、アメリカ社会の中へもぐりこんで行く。そのもぐりこんだ深い水底から、水面に呼吸しに上ってくる魚のように、六ヶ月ごとに移民事務所へ現われ、査証を書き替えてもらわなくてはならない。十分な外貨を持って来ているわけではないので、皿洗いなりボーイなりして稼ぎながら、勉強しなくてはならない。

不安と昂奮に体をかたくしながら、彼等は出て行く。それは空港で見かける旅行者の表情といささかちがっていた。

「浦井さん、お先に」

元気に声をかけて行く若者がある。声を出すことで、自分自身を励ましている顔であった。

「ミネタカ・ウライ！」

背後で名を呼ばれた。

ようやくトランクが運ばれてきていた。大小二箇のトランク。その先何年になるかわからぬ海外生活を共にするすべてのものが、つまっている。

チップを渡す。荷扱夫は口笛を吹きながら去って行った。今度は税関吏がなかなかやって来そうにない。

港を出て行く船の汽笛が聞えた。　陸側の高い窓には、夕方にはまだ間があるのにネオンに灯が入ったのが見える。

YMCAでも探して泊ろうか。それとも、いっそ一泊もせず、夜行の長距離バスでニューヨークへ向かおうか。時間に追われているわけではないが、心を決めて日本を後にしてきたからには、一日でも無駄に日を送りたくない気がする。

肩をたたかれた。　赤間であった。　通関を終り、手押車といっしょにゲイトに向かう途中である。

「いよいよスタートだ」

と乱杭歯（らんぐいば）を見せて笑う。

若者ばかりの日本人の中で、赤間は浦井と並んで三十代、そして妻帯者。それだけに、二人は気が合った。

もっとも専攻は浦井とはまるでちがって、法律。どこか法律事務所の下働きをしながら、実地にアメリカの民法関係の勉強をしてくるという。　私大の法学部を出て鉄鋼会社

に十年つとめ、その退職金が再出発の資金。日本では奥さんが教師をしているとのことであった。

「きみの奥さんは」

と、そのとき問い返されて、

「うちも働いている……」

浦井は嘘をついたが、すぐ続けて、

「実はうまく行っていない。だから、少し離れて暮す必要があって」

それも厳密には嘘であった。

「ま、いつか、きみに法律上の相談を持ちかけるかも知れない」

「ところが、おれもそうなんだよ」

赤間は油気のない蓬髪を掻いて苦笑し、

「会社に好きな娘ができたりしてね」

「お互い島流しになるわけか」

後甲板のデッキチェアで、二人はうつろな笑いを汐風に流した。お互いに了解し合うものがあった。女房との仲がどうのこうのということだけではない。女房をふくめたもろもろのものを後にして、三十男の心機一転のやり直し。心はずむというより、むしろ

重い――。

「成功を祈るよ」

赤間が手を出した。浦井はすかさず握り返した。若者同士の握手とちがって、二人の

それには、ねばりつくような何かがあった。

「少なくとも三年はがんばろう」

「うん」

「連絡だけはよこせよ」

浦井はうなずいた。

ロサンゼルスで働くという赤間。ロスは日本への門戸であり、中継地である。ロスを

通して、日本へつながる。それに、似たような境遇の赤間。赤間を通して、妻子へつな

がる。つながるためにも、赤間だけには便りを欠かすまい。

荷扱夫（ポーター）が口笛を吹いて、赤間を促した。

握手を解くと、赤間は思い出したように眼鏡の奥で笑った。

「弘子嬢が御執心だったな。早速、約束でもできたかい」

「ばかな」

眼ざといやつだと、浦井は苦笑した。どこから観察していたのだろう。そういえば赤

間は、〈法律がだめなら、私立探偵業でも覚えてくるさ〉と冗談に言っていたが。

荷扱夫(ボーター)が歩き出した。

赤間も大股に後を追って行く。中肉中背、筋肉質である。そのチャコール・グレイの背広は、弘子とちがって一度も振り返らず消えて行った。

2

覚悟はしていたが、ニューヨークでの生活はきびしかった。いたるところで組合(ユニオン)が立ちはだかるためである。

没落貴族である浦井家には、遊芸を愛する血が流れていて、浦井も小学生のころから洋舞に馴染んで育った。水に合うというのか、すすめられもしないのに稽古(けいこ)熱心で、学生時代にいろいろのコンクールに出て賞をとり、ついに大学中退のまま男性ダンサーとして舞台でメシを食うようになった。

もっとも、収入としてはたいした額ではない。つき合いが華やかなだけに生活は苦しかった。それに耐えて洋舞ひとすじに励んでいる中、テレビ放送がさかんになり、そのショウ・ダンスに出演し振付をし、一時は各局でひっぱりだこにまでなった。

そうした実績があるだけに、ショウの国アメリカで勉強する傍ら、内職の口を見つけるのは難しくないと思ってきた。

たしかに、ナイトクラブ、ホテル、キャバレー、レストランと、仕事の口はいくらでもあった。浦井の腕前ならりっぱにこなせる仕事で、マネジャーたちによろこばれた。

だが、永く続かない。舞踊手組合（ダンサーズ・ユニオン）が騒ぎ出す。非組合員である外国人を雇うのはけしからぬというので、楽師の組合（ユニオン）、歌手の組合と、次々に協調してマネジャーを突き上げる。

浦井は追い出される。そして、もっと条件の悪い地区の悪い仕事に移る。そこでまた組合が騒ぐ。さらに目立たぬところへ移る。転々としている間に、生活は苦しくなるばかりであった。

その間にも、浦井は勉強にはげんだ。ショウ・ダンスに関する学校とか養成所とかに、片っ端から通い、コスチュームから照明に至るまで、役立つことは吸い尽くさんばかりの勢いで学んだ。ただ、学んだことがますます役立たなくなる仕事へ落ちて行くのは、皮肉というより悲しかった。

サンフランシスコを出てから、一年経（た）った。

シスコでは、寒ささえ感じたのに、ニューヨークの初夏は暑い。それも、スチームが通っていた翌日、上着を脱いで街を歩かねばならぬ陽気が来る。じりじり焼かれるような暑さで、オーブンに入れられたみたいだと、ひとは言う。

金のある者や気の早い者は、いち早くニューヨークを離れ、ヨーロッパやカナダへ避

暑に出かけている。夜の遊び場に客の入りが悪くなり、ショウの仕事もひまになった。

ひまになることは、食えなくなることに通じる。もっとも、休暇（バケイション）のさかりになると、地方や東洋からお上りさんがやってくるので、またショウの仕事も息を吹き返す。その

しばらくのエアポケットのような、けだるい日々が続いた。

浦井の住んでいるのは、リバーサイドの十六階建の安ホテル。ホテルとはいうが、客の過半は定着していて、アパートに近い。

浦井の右隣りは、年金暮しの痩せた老人。左隣りは、よく罵り合う黒人の中年夫婦。暑さで窓を開け放してあるせいか、そうした声がまるまる聞えてくる。

ある夕方、その日も仕事にあぶれ、ショウ・ビジネスの本を寝ころんで読んでいると、ノックの音がした。

浦井は、部屋をまちがえているのだと思った。朝の十時ごろ黒人掃除婦が来る以外、浦井の部屋に訪ねてくる人はない。日本人とはつき合わず、世界からひとり陥没する思いで暮していた。

だが、ノックは続き、

「ミスタ・ウライ？」

女の声が聞えた。

浦井は、はじかれたように首を上げた。あり得ないことだが、別れた妻の八重子が東

京から飛んできたのかと思った。

急いでドアを開けると、小麦色に灼けた弘子の顔がそこに在った。

「どうしてきみ、ここが……」

浦井は眼をみはった。

「赤間さんから電話でアドレス教わってきたのよ」

弘子は何でもなさそうに言う。〈やっぱり、こんなところで〉と、その眼が言っている。

浦井は口もとを歪め、

「カーネギー・ホールでなくて、悪かったね」

「ううん」

首を振りながら、弘子は部屋の中を見廻しにかかる。

鉄のベッドに、椅子と小机一つ。そして、タイルのはがれたバスルームに古びたシャワー。

「あら、坊ちゃんの写真ね」

小机の端に立てかけた写真に眼をとめ、近寄ろうとする。

浦井は立ちふさがって言った。

「外へ出よう。ちょっと廊下で待っていてくれないか」

うらぶれた生活を隅から隅までのぞかれたくなかった。かつての浦井からすれば、どんな関係にせよ、女に部屋へ踏みこまれるなどということが、すでにぶざまであった。

すばやく身支度する。息子の写真に小さく手を上げて、部屋を出た。

「御迷惑だったかしら」

と、弘子。

「いや……」

うっとうしい気分と懐しさとが、半々に入りまじっていた。

二基あるエレベーターの一基が故障で、しばらく待ってから、ようやく地上に下り立った。

二十階前後のアパートメントが両側に高い堤のように並んだ道は、すでにすっかりかげっていた。ベンチには老婆たちが腰が抜け落ちたように坐り、プェルトリカンや黒人の子供が喚声を上げて走り廻っているさまを、気だるく眺めている。日本のように喫茶店があるわけでなく、行くとすればカフェテリアかレストランかだが、酒場の方がゆっくり話もでき、気楽でもあった。

浦井は弘子を近くにある酒場へ連れて行くことにした。

止り木に並んで坐り、浦井はバーボンの水割りを、弘子はジンフィーズを注文した。

「ニューヨークに行く以上、浦井さんにお会いしたいと思って」

弘子が言いわけのように言った。

「船で来た連中はどうしてるかなあ」

浦井がつぶやくと、弘子はいかにも顔の広い代議士の娘らしく、すでに浦井が顔も名も忘れている男たちの消息を次々と披露した。

ホームシックになったり、徴兵されるかも知れぬというので、半年経たぬ中に早々に帰って行った若者もある。画家志望の青年も、そうであった。レーサー志願の若者は白人女性と同棲して、いまはもっぱらガソリン・スタンドで働いているという。

「赤間さんのことは御存知?」

今度は弘子が訊いてきた。

「いや、おれの方からは手紙を出しているが、彼からは、ほとんど便りが来ない」

「忙しいのよ。ロスでは猛烈に働いていて、日本人仲間では評判なんですって」

結構、結構とばかり、浦井はうなずいた。赤間の勤勉ぶりが、わがことのようにうれしい。日本、妻子のいる日本が、ぐんとたぐり寄せられてくる感じであった。赤間は何より家庭の再建のために努力している。その健気さは、若者たちに理解できぬところなのだ。

カウンターの上を、二つのグラスが滑ってきた。二人はグラスを合わせてから、口に当てた。

「浦井さん、お忙しいんでしょ」

「まあまあだ」

「音楽って、ショウ関係ですってね」

「うっ」と言いながら、浦井は弘子の顔を見た。赤間にでも訊いてきたのかと思った。

「前途洋々のお仕事ね。日本でもずいぶんりっぱにやってらっしゃったんだし」

浦井はグラスを下ろして、弘子の顔を見直した。弘子は濃い眉をおどけた風につり上げる。

「びっくりして」

「うん」

「わたし、週刊誌で読んだのよ」

浦井は、思わず短く叫び声を立てた。亡霊に追いかけて来られた気がした。あの記事は、もう三年も前のことではないか。

「いまごろになって？」

念を押すように訊く。

「そうなの。知り合いの二世の家に、その週刊誌があったの。こちらの人は、日本の雑誌を何でも大切にとっておくのね」

「……」

「わたし、ひまつぶしに何気なくめくっていて、どきんとしたわ。あなたのお顔が出て
いて、そして、あなたのことが大きく書かれているんですもの」

浦井には、応える言葉がなかった。いまとなっては、それが船の中で暴露されなかっ
たことを、せめてものよろこびとせねばならなかった。

ショウ・ダンサーは厚化粧をし、ロングで撮られることが多いため、テレビに出る割
りに顔をおぼえられることがない。とくに男性ダンサーの場合、いわゆるスターにはな
らない。週刊誌のその記事でも、読者の眼に灼きついたのは、相手方の顔であったはず
である。

マスコミの支配圏から逃れてしまえば、もう噂も追って来ないであろう。浦井自身が
口をつぐんでいる限り、その醜聞は永遠に海のこちらへ伝わらぬはずであったのに——。

浦井はグラスをあけ、代りを注文した。弘子を見すえて、

「あの記事を読んで、きみはどう思ったのだ」

「どうって」

「女として腹が立たなかったかい」

「腹が立ったら、訪ねては来ないわ」

「それなら、なぜ訪ねて来たんだ」

「あら、懐しかったからよ」

それだけではあるまい。この女には、きっと好奇心が働いたのだ。暴露事件で傷ついた男とわかって、もう一度、浦井の顔と生活ぶりをのぞいて見たくなったのであろう。残酷な心理である。女は残酷なことを、たいした意識もなく、やってのける。妻の八重子の仕打ちもそうであった。

あの記事では、浦井が一方的に八重子を苦しめたことになっている。だが、その先で、浦井はどれほどにがい思いを味わわされたことか。

誰かが硬貨を投げ入れたと見え、ジューク・ボックスがうたい出す。客は他に四人。どれも人生に興味を失くした顔で、日本人男女の日本語の会話にも、別に関心を示す風はない。

「妻を裏切る──それは、やはり悪いことなんだろう」

浦井は口重く言った。

「うまくやれば、よかったんじゃないかしら。わからなければ、奥さんも傷つきはしなかったでしょう」

「……うまくやったつもりだったんだが」

「やはり隠せなかったのね」

「ハイエナのようなやつがいたからね」

「誰のこと?」

「スッパ抜きの記事を書いた男だ。望月というトップ屋、おれとは数年来の友達だったんだ。絶対に友人のことは書かないというので、話してやったのに」

話している中に、声が激してきた。

「いまだに憎んでるのね」

「うん。あの男のおかげで、おれたちの生活はめちゃめちゃになってしまったんだから」

浮気の責任を棚上げして、あばかれたことだけを怒っていては、あまりに身勝手と思われるかも知れない。だが、そこには、浦井夫婦の特殊な事情があった。

妻の八重子は、浦井の浮気をある程度許していた。若い女にとり巻かれての派手な職業である。多少のことは眼をつむると言った。

〈遊んでも寝てもいいわ。あなたの役得ですもの。でも、恋愛はしないでね。それに、おそくなっても、必ず家に帰ってきて〉

それは、精いっぱいの努力が言わせた言葉であった。

浦井も、はじめはその約束を守っていた。だが、男女の間のことは、それほど機械的に割り切れるものではない。その上、仕事の一時的な成功にともない、めまいのするような時期が訪れて、浦井は二度三度と約束を破った。

それでも、八重子は見て見ぬふりをして、こらえていた。

すると、浦井は、こらえていることは許しているこ
とだと、勝手に解釈した。めまい
のせいである。

さめ切った心でけんめいに耐えていた妻も、天城ミナの一件に至って、ついに爆発し
た――。

浦井はグラスをあけた。お代りをたのもうとしてためらい、しばらく空のグラスをい
じっていた。煙草はのまず、酒は好きだが、できるだけ控えることにしている。舞踏手
としては常に美容を考えるからである。

だが、いまは酔いに助けられてでも、しゃべりたい気がした。永い間、日本人と接触
せず、日本語を話していないせいもあり、一度口を切ると、体の中から言葉がどっと溢
れ出てくる感じになる。

浦井は、またバーボンをたのんだ。

「タイミングも悪かった、ちょうど女房はお産のため入院中だった。そこで、こともあ
ろうに看護婦があの週刊誌を女房に読んでやったのだ。女房は血が上った。何しろ、何
年ぶりかで、ようやく子供ができたところだったから」

浦井もいっしょになって天から授かった気持でよろこんでいた出産のときの裏切りだ
けに、八重子は怒った。

それも、噂を小耳にはさんだ程度ならまだしも、週刊誌に書き立てられ、しかも看護

婦に見せつけられたことは、痛かった。それは、世間が正面から醜聞をつきつけ、

〈あわれで愚かな妻よ、おまえはどういう気なのか〉

と、せせら笑っている風にもとれた。八重子としては、開き直らざるを得なかったの
だ。二人は別居した。

「意地の悪い看護婦。世の中には、そういう女の人が居るのね」

「意地の悪いのは、女だけではない」

あのときをきっかけに、一転して、あらゆるものが浦井には意地悪く当たってくる感
じであった。週刊誌は、なお意地悪く追いかけてきた。

年増ではあるがテレビ番組でもいぜん売れている女優天城ミナ。男など問題にしてい
ない口ぶりでも人気のあったミナに隠れた愛人があったということは、たしかにセンセ
イショナルな材料にはなったろう。

醜聞は私生活だけではなく、仕事にも打撃を与えた。

浦井はテレビ時代のタイミングにのってのしてきていたが、そのテレビ界にも若いデ
イレクターが育ち、ショウ・ダンサーでは先輩格である浦井を煙たく感じはじめていた
ときであった。醜聞は彼等の浦井敬遠を決定的なものにした――。

「いつまでニューヨークにいらっしゃるつもり」

「わからない」

「永住?」

「とんでもない。勉強だけはできるが、組合、組合で、ろくな仕事はできない。こうやりたい、あれをやってみたいと思っても、一つも実現しない」

「それなら、いっそ日本へお帰りになっては」

浦井は首を横に振った。

「まだマスコミが気になるの」

「それより、らしい仕事をしてからでないと、帰る気がしない。何のためにアメリカまで来たのか、と」

「日本ではできないの」

「その場がない。ナイトクラブやレストランへ夫婦で来て、夫婦いっしょにショウをのしむという時代になって来ないとね」

「すると、どうなさるつもり。そう何度も査証の書き替えもできないでしょうに」

浦井は黙ったままうなずいた。

だが、完全に行きづまっているわけではない。仕事の場所は他にもある。日本とアメリカだけが働き場所ではないのだ。

ラテン・アメリカのパリといわれるメキシコ・シティ。アメリカ人観光客の溢れるメキシコ・シティ。咽喉もとには、メキシコ・シティの名が出かかっていた。

キシコ・シティには、いくつもショウ・ビジネスの場がある。そして、そこに組合はな
い。

マスコミも及ばず、組合もはびこらぬメキシコ、清新なメキシコ。浦井はそこに処女
地のにおいを嗅ぎ、若者のように気分のたかぶってくるのを感じる。

それだけに、メキシコ行きの話は、大事に胸に秘めておきたかった。他人の批評や印
象で、その処女地を汚されたくはない。弘子に言わぬのはもとより、メキシコで一応の
成果をあげるまでは、赤間にも黙っているつもりである。

それに、メキシコ行きを口にしないのには、まだ別の理由もあった。

夏とともに有名なダンサーの幾人かがニューヨークに居なくなり、その穴埋めのため、
ブロードウェイのミュージカル劇場で、近くダンサーのオーディションがある。それは、
新人がもぐりこめる最後のチャンスであった。いま一度そのチャンスに賭けてみたい。
メキシコは魅力ではあるが、芸の水準からいえば、ニューヨークの比ではない。もし
まともに踊れるものなら、本場が良いのにきまっていた。

「アメリカがだめなら、カナダやメキシコあたりはどうかしら」

ふいに弘子が言った。心の中を見抜かれたのかと、浦井はぎくりとした。

だが、弘子はごく当てずっぽうに言ったようであった。しばらくアメリカに居ると、
カナダやメキシコは国境など存在しないも同然、というアメリカ人的感覚が伝染してく

るのだ。

ただ浦井は、それ以上その問題に触れられるのがいやであった。弘子に向き直って、

「きみの方は、いつまでアメリカに居る気なんだ」

「あと、二、三年。だって、まだ一学年が終ったばかりですもの」

「卒業するまで居るのか」

「わからないわ。成り行きしだい、それに、縁談しだいかな」

「縁談？」

「うん、パパと取引してきたのよ。アメリカへ行く代りに、いままでのわたしの男の子たちとは縁を切って、パパのすすめる相手と結婚しようって。おそらく、どこか実業家の二世か何かを探してくるのではないかしら」

からりと言ってのけた。

「それでもいいのか」

「だって、わたし、エンジョイするものは十分エンジョイしたし、いまもしてるし……。あと二、三年もすれば、きっと遊び疲れて落着きが欲しくなると思うの。そのときは、全然無関係だった相手の方がフレッシュでいいと思うわ」

浦井は受ける言葉に窮した。この女は本当の愛情を知らない。だから、こんな風に言ってのけるのだと思う反面、ひょっとして本当にスマートに処理して行ってしまうかも

知れない、という気もした。女には、そういう可能性がある。壁と思ったものを、すり抜けて行ってしまう。

気ままに遊んでいたように見える浦井だが、心の中には、いつも「家庭」という透明な城があった。その「城」をついぞ壊そうとは思わなかった。

八重子は浦井の浮気を許したが、浦井の方でも、八重子が男性と交際するのを許した。男好きのする顔立ちでスタイルもよい八重子は、写真撮影会のモデルなどにひっぱり出され、ときには夜おそくまでサラリーマンや学生のアマチュア・カメラマンにつき合って来ることもあったが、浦井は文句ひとつ言わなかった。世間よりは一歩進んだモダンな結婚生活をやってのけているという気どりのようなものさえあった。「城」に自信があればこそであった。そして、妻もまた同じように「城」にとらわれ、「城」に安住していると思いこんでいた。

暴露記事の一件が起ると、八重子は、

「もう同じ屋根の下に住めない」

と言った。事実、家を出て、ひとりアパートに移り、生れて間もない息子は、浦井の両親が育てることになった。

それでも浦井は、それが「城」を壊すことでなく、「城」をひろげることだと、見ていた。別居はしたが、二人は週に一度は会っていたためである。

いっしょにナイトクラブへも出かけた。暗いスポットライトの下で、恋人同士のように深く抱き合って踊る。タクシーの中では、八重子のやわらかな髪に頬を寄せても、避けようとはしない。ただ、アパートへ着いても、そのドアの中へはどうしても入れてくれなかった。

浦井には、そうして会う妻が、可愛く新鮮に見えてきた。妻を大切に思えばこそ、無理に押し入ることも避けた。チャンスはいくらでもあったのに、他の女たちとの浮気も手控えるようになった。

その上、なお念の入ったことに、「お詫びのしるしだ」と言って、アルコール類までぴったり絶ってしまった。八重子が何よりかけがえのない存在であるということを、そうした形までとって示しておきたかった。

浦井は甘かった。「城」は浦井のえがいた幻影でしかなく、浦井そのものは八重子の人生からはずされてしまっていたのである。

浦井は、ニューヨークのむし暑い酒場の中で、肌寒い思いにとらえられ、そうした思いをさせることになった弘子を憎んだ。

「さあ出ようか」

弘子はうなずく。誘えば、アパートへついてきそうであった。それも弘子の「エンジョイ」の中なのだろう。

酒場を出ると、地下鉄の轟音が足もとを吹き抜けて行き、鉄の焼けるきなくさいにおいが残った。

コンクリートと鉄と石の街。ここで人間に戻ろうとすれば、何があるのか。

浦井は、眼を弘子の体に走らせた。「え?」と言って、弘子が笑う。男の視線の意味を了解していた。

浦井はいったん眼を閉じてから、足を踏み出した。

この女に近づいては、また日本が遠くなる。八重子との心の距離が開くばかりである。あの懐しい「城」にいよいよ戻れなくなる。

〈八重子、おれはお前のことだけを思っているのだ!〉

浦井は、ビルの上の帯のような空に向かって、そう叫びたかった。ついで、妙な風に倫理的にも感傷的にもなっている自分の姿に思わず苦笑した。おれは弱っているのではないか、とも思った。

幾羽かの鳩が、ビルの谷間を縫って飛んで行く。その先に、セントラル・パークのう す汚れた緑が在った。そこに鳩たちの「城」があるのであろう。

喚声がした。黒人の子供たちのフットボールの球がとんできた。

黄色い歯をむいて駆けてくる子供にそのボールを投げ返すと、浦井は後も見ず、大股に石だたみを踏んで歩き出した。

3

ニューヨークでの最後のオーディションに、浦井はみごとにパスした。

ブロードウェイの劇場にショウ・ダンサーとして立てることになったのだが、たちま

ち組合の猛烈な反対に遭った。

はじめは強く浦井を推していた支配人も、遂に首をすくめ、両手を投げ出した。

「組合、組合、組合！　アメリカはいつからか組合主義になってしまった」

浦井が口にしようとした悲鳴と同じことを、支配人はつぶやいた。

そうしたアメリカに見切りをつける他はなかった。口惜しかったが、ブロードウェイ

のオーディションをパスしたということで、芸に折紙をつけられたわけである。アメリ

カで勉強しただけの甲斐はあった、と考えることにした。

浦井は、メキシコ・シティに飛んだ。

観光客が激増しているメキシコでは、ショウ・ビジネスは花ざかりであり、客の眼が

肥えている割りに、練達したダンサーが少ない。ニューヨークでのオーディション云々の

仕事はすぐ見つかった。ニューヨークでのオーディション云々を持ち出すまでもなく、メキ

浦井の踊りはすぐ光った。夜は都心のナイトクラブで踊り、週に三日は午後を割いて、メキ

シコ人ショウ・ダンサーにダンスを教えることになった。

やがて、クラブでの仕事も、ただ踊るだけでなく、振付や演出まで任されるようになった。コスチュームや照明についての注文も出せる。

メキシコ人たちは、有能な人間に対してはオープンであった。できる人に任せて、自分たちは楽をしようという空気である。

給料はそれほどよくはなかったが、仕事にははり合いがあった。勉強の成果を活かし、いろいろ実験をやってみることもできた。

浦井は、メキシコ人の生活に馴染んで行った。

仕事に幅と変化があるだけに、月日は早く流れた。組合に邪魔されず、マスコミに苦しめられぬ生活は快適であったが、いつまでも快適なことばかりは続かなかった。

大幅に仕事を任されてよろこんでいたが、逆にそれが重荷になってきた。積極的に動こうとしない人間をひっぱって行くのには、人一倍の根気が要った。

少し目を放すと、彼等はもう手を抜いて遊んでいる。時間の観念がなく、遅刻しても平気である。稽古の中休みに「ちょっと一服してきます」と出て行ったきり、そのまま帰って来ない。そのため、折角まとめあげたショウ・ダンスをまた組み直さなくてはならない。一日が終ると、ぐったり疲れてしまう。

浦井は、都心のアラメダ公園に近いアパートに住んでいた。食事はほとんど働き先の

レストランやその近くでとったが、ときどき、公園の先の裏通りにある小さな中華料理屋へ出かけた。

中国人夫婦がメキシコ人の給仕女を一人置いてやっている上海という名の食堂で、日本人と見ると、愛想よく別のメニューを出してくれる。カレーライス、天丼、みそ汁など、幾種類か、まがいものの和食がある。日本人客に教わってつくり出した感じだが、おかしくない味である。

メキシコ・シティにも、もちろん専門の日本料理店がある。ただそこは高級過ぎた。それに、大使館や商社関係の羽ぶりのいい客ばかりで、たまに行ったのではいい顔をされない。

それに比べると、上海は気楽であった。

古い煉瓦敷の露地に窓もドアも開け放したままで、向側の家の中までのぞけて見える。通行人からはまる見えだし、宝クジ売りも入ってくる。ときには物乞いが小銭をねだりにやってくる。

そこの常連の日本人は、浦井のナイトクラブへ顔を見せる日本人とも、まるで顔触れがちがっていた。トランクひとつで廻っているセールスマン、いつまで経っても銀山を見つけられないでいる鉱山技師、七千万円の宝クジの当たることだけをたのしみにしている老移民、仏教の宣教師、貧乏画家など。太陽の国へ来たというのに、申し合せたよ

うに、疲れた冴えない顔をしている。

お互いに親しみを持ちながら、深く話し合うわけでなく、相手の素性を穿鑿しようともしない。店主夫婦も日本語がわからぬだけに、余計なことは知られることもないという安心感もあった。

そうした中に、ときどき新顔が現われては消えて行く。旅馴れた、それでいて金のない旅行者たちである。

そして、ある日、浦井はそこで思いがけず赤間の顔を見た。若いメキシコ女を連れてきて、すきやきを食べさせていた。

「どうしたんだ」

浦井は店の入口で棒立ちになった。

「きみこそ、どうした。しばらく便りをよこさなかったじゃないか」

赤間はサンフランシスコで別れたときより、一廻り大きくなった感じで、声までたくましかった。

「おれはよくメキシコへやってくるんだ。ロスからは一飛びだからな」

「仕事か」

「いやいや」

赤間は太い首を振ると、片眼をつぶって小指を立てた。

「この用のためだ。つまり、生理休暇だ」

「え?」

「アメリカは不自由でいかんが、こっちは安くて、すてきなのがごろごろして居るからな」

「そうだろうか」

「しらばくれるなよ。それに、浦井は商売がら選りどり見どりだろう。この世の極楽に居るようなものじゃないか」

「とんでもない」

浦井は、ようやく赤間と向かい合って腰を下ろした。

メキシコ女は、手を休め、じっと浦井を見つめる。

灰青色の瞳——それが浦井には、半分とけたようにも、白く濁ったようなものに見えて、魅力がない。見つめられていても、焦点がすわっていない。日本人の黒い瞳、八重子の黒くぱっちりした瞳が、懐しい。メキシコに来てからも、別れた妻への慕情はつのるばかりであった。

浦井は女の視線を外らすようにして、つぶやいた。

「おれは、こっちの女はにが手なんだ」

「どうしてだ」

浦井は、また、ちらっと女の顔を見た。高くて堂々とした鼻をしている。まるで、その鼻を支えるためにだけ顔があるようだ。

ただ女の容貌については言及しないのが無難だと思った。

「……きみの彼女は別だが、とにかく、こちらの女は大きいからな。おれはそれでひどい目に遭ったことがある」

浦井は両手を構えてポーズをとって見せ、

「踊りの中で、女を上へ持ち上げる動作があるだろう。メキシコへ来てそれをやったら、指の関節がくじけてしまって、しばらく医者に通った。すごい持ち重みのする体なんだな」

赤間は面白がって、英語で女に話した。女は高い声を立てて笑い、浦井の手を見直した。

「そういう点は、やっぱり日本の女だろうな」

赤間はうなずいて言ってから、

「しかし、こっちの女は情熱的だからな」

女の頬をつつく。女は灰青色の瞳をいっぱいに開いて、赤間に媚びた。

浦井は、中国人のおかみに親子丼と味噌汁を注文してから、女の情熱とは何だろうかと考えた。

人目もはばからず街角で接吻することか。　男の首も折れんばかりに抱きついてくることなのか。

そうではあるまいと、浦井はまた八重子のことを思った。

テレビ時代のはじめ、浦井はある広告代理店の男に十万円用立ててくれとたのまれたことがある。浦井自身にそれだけの貯えもなく、ダンサー仲間の八重子に打ち明けたところ、翌日十万持ってきてくれた。八重子は何も言わなかったが、それはドレスやオーバーなどを質屋に入れてつくってきてくれた金であった。かねがね八重子が好きだった浦井は、そのことがわかったとき、結婚の肚をきめた。

その後も、局や代理店とのつき合いに、金はかかった。ぱりっとした服装でハイヤーを使い、高い酒ものまねばならない。八重子は舞台に立ち、モデルになりして、浦井を助けた。

それでも金が足りず、月末の支払いができぬこともあった。ただ浦井のワイシャツだけは、クリーニング屋に出さねばならない。気まずい思いを殺して八重子はクリーニング屋に出かけ、頭を下げてたのんでくるのであった。情熱的とは、そうしたことをこそ指すのではないか。そうした妻の献身に対して、自分はどう応えてきたのだろう──。

浦井は話題を変えた。

「弘子の話では、きみはロスで人一倍働いてるということだったが」

「それも、このたのしみがあるからさ」

赤間は、女にウィンクして見せた。女は褐色にぼやけた髪を、赤間の肩に預ける。

「二月か三月、猛烈に働いては、その金でここへ来て女どもを堪能する。悪くない生活だよ」

「奥さんはどうした」

「離れてみて、おれのよさがわかったのか、綿々とした便りをよこすようになった。もっとも、おれは当分この生活をやめる気はないがね」

「早く帰ったほうがいいんじゃないか」

「どうしてだ」

「……それは、人生をどう考えるかによって、きまることだろうけど」

赤間はパイプをくわえ、火をつけた。ゆっくり一服吸って、パイプを斜めにくわえ直す。ハイライトを短くなるまで吸っていた船中の姿とは、別人のようになっている。

女はそうした赤間に、うっとり流し目を送っていた。

赤間はパイプに手を当てて言った。

「そういえば、弘子嬢は死んだよ」

「何だって」

「きみにニューヨークで会ってから、間もなくのころだろう。自動車事故で、運転して

いた日本人留学生の男といっしょに死んだ」

「……」

「事故というより、無理心中だという説もあったな。何しろ時速百マイルの猛スピードで陸橋に激突したのだから。……男は弘子に夢中だったが、弘子には他に何人もの男出入りがあった。その決着をつけられたというわけだ」

「かわいそうに」

浦井は思わずつぶやいた。

いかにもスマートに人生を渡って見せる恰好の男だったのに。結果から見れば、短い生涯を予想して、あわただしく愛をむさぼろうとしていたということになるのだろうか。

ニューヨークでは、酒場を出てからなお後をついてくる弘子をふり切るようにして別れてしまったが、あのとき、一晩でも抱いてやればよかったと、悔んだ。

もっとも、八重子のことを想って、それができなかった自分の気持もわかる。自分は極めて古風で禁欲的な男になってしまっている。同じようにして渡米した赤間が若者のように奔放に生きているのに比べて。

浦井はそれを八重子の献身のせいにした。それこそ人生にまたとない宝のはずであった。八重子を思い出すのが苦しくて、浦井はわざと八重子の写真は持ってきていない。

瞼の中の八重子は、いつも光輪を背にしている女であった。

浦井の食事が運ばれてきた。味噌汁のにおいに女が顔をしかめる。浦井は、構わず箸をとった。

三人組のマリアッチが露地を流してきた。女がせがみ、赤間が呼び入れた。

「一曲の値段で三曲やりましょう」

とマリアッチは調子がいい。

浦井は黙々と箸を進めた。

健康を保って、とにかく日本へ帰る。そして、ニューヨークとメキシコで磨き上げたショウ・ダンスを、日本に根づかせる。一人息子が淋しく待つ日本。何より八重子の居る日本——。

マリアッチは、しきりに物悲しい調べをかき立てていた。

しかし、帰国したところで、もう八重子がどうにかなるものではない。東京での一年近い別居生活の間、浦井は新鮮な気持に返って八重子と遊んでいるつもりであったが、その間に八重子は、新たに夫と呼ぶべき男をつくっていた。ダンサー仲間や舞台の裏方(うらかた)などとは、それに気づいていた。にもかかわらず、誰ひとり浦井に教えてくれる者はなかった。八重子の口から「実は、わたしには……」と打ち明けられて、浦井は仰天する始末であった。

すでに男の子供を宿していた八重子は、離婚を急いだ。そして、浦井が横浜を発(た)つ前、

男とその間に生れた赤子を連れた八重子に会い、ほとんど言うべき言葉もなく、別れて
きたのだ。八重子には、すでに新しい堅固な「城」がある。浦井の手では二度と壊れそ
うもない「城」が――。

マリアッチは去った。赤間が思い出したように言った。

「遊べば遊んだだけのことはあるものだよ。おれは女たちのことをレポートにして、日
本に送っている。スケベな話なら、よろこんで買う週刊誌があるからね」

「週刊誌？」

浦井は、大きな声を出した。こんなところにまで、週刊誌の触手がのびてきているの
か。

浦井は眼を上げた。メキシコの場末の小さな食堂、煉瓦敷の露地、灰色の瞳の女、そ
うした上に大きな手の影が海を越えてしのび寄ってきている。日本のマスコミ。あらゆ
るものを食いつくして異常増殖を続ける巨大な化物。現代の怪物（モンスター）。

浦井はその影をふり払うようにして、

「しかし、きみは法律事務所で……」

「それだけでは食えやしないよ。ろくな仕事はないからな。勉強にもならないし……。
それに、時間外には私立探偵をやったり、アカ新聞の手助けをしたり。おきまりのアル
バイト、アメリカ風に言ってムーンライト・ジョブをやらなければ、とても遊ぶだけの

金は出ないというわけだ。そんなことをやっている中に紹介するやつが居て、日本の週刊誌にも、ときどきピンク・レポートを書くようになった。趣味が身を助けたというわけだ」

「それにしたって……」

「きみもアメリカに暮してみてわかったろう。あの物価高ではアメリカ人自身が食えなくなって、夜は夜で別の仕事で働いている。巡査は非番のときはタクシーの運転手をやっているし。月光族ばやりなんだ」

「……」

「そんな中に割りこんだ日本人は、月光族にならざるを得ないじゃないか。皿洗いも自動車修理も農園労働も、考えてみれば、みんなムーンライト・ジョブだ。きみの仕事だって、ある意味では月光族だろう。誰も彼もが黄色い月光族だ。アメリカ中に黄色い月光族がしのびこんでいる。白い月光族、黒い月光族、黄色い月光族、褐色の月光族、そうした月光族のおかげで、アメリカという巨大なエンジンが動いているともいえるよ」

赤間はいきり立った検事のように、熱弁をふるい出した。女の目も多少意識しているのかも知れない。

浦井は手を上げて、ようやく話を遮り、

「いや、おれが言いたいのは、何もはるばる日本の週刊誌にまで……」

赤間は猪首を立て、にやりと笑った。

「そういえば、弘子が言っていたな。きみは週刊誌にひどい目に遭ったとか」

「うん……」

「何事も生存競争だよ。週刊誌のライターだって、食って行くためには仕様がないだろう」

「とんでもない。書くにも書きようがある」

浦井が天城ミナとの関係を持ったのは、二度しかなかった。大女優といわれるその女を征服することに、浦井は一種の気負いを感じた。そこまでのし上った自分の勢いを確認する思いでもあった。それを果してしまえば、男をペットのようにしか思わぬ年増女優には、これといって魅力はなかった。関係はただそれだけで終ろうとしていた。

それを望月は、まるでミナの家に入りびたりのように書き立て、浦井をミナの若いツバメに仕立ててしまった。望月をあの週刊誌ごと締め殺してやりたい気は消えない。浦井の女性関係自体に問題があったとしても、あの記事さえなければ、八重子との仲を立て直すことはできたであろう。

女に促されて、赤間は立ち上った。

「さて第二ラウンドへ移るとするか」目尻を下げて笑い、「いい女が居たら世話してくれよ。いろいろと数をこなしてみたいんでね」

浦井は答えなかった。この男にとって、何のためのアメリカかと思った。そういう人生もあるとわかってはいても、浦井はついて行けない。かつての自分もそうではなかったかと思うのだが、いまはまるで別人のように八重子への慕情だけに生きている。メキシコから愛を、届くはずも通ずるはずもない愛を捧げている。

二人が去った後の戸口へ、別の組のマリアッチが流れてきた。浦井は物うく首を振って断わった。それでも構わず、マリアッチは演奏をはじめる。

「うるさい、消えうせろ！」

浦井は大声でどなった。その見幕に、中国人夫婦が顔を見合わせていた。

4

オリンピックをはさんで、メキシコ・シティへの観光客は、さらにふえ続けた。浦井の出ているナイトクラブでも、連夜ほとんど満席である。常連以外の日本人もやってくるようになった。懐ろ具合(ふところ)のいい観光客や、会社団体の招待客のようである。

案内者が、日本人がショウの主演者であり演出者であると話すせいで、ショウが終ると、そうした客席へ呼ばれて酒をふるまわれるということも、再三あった。ショウの進行に関しては、浦井は誰にも口を入れさせない。その代り、ショウが終れば、客へのサ

ービスになることなら、断わりもしなかった。

日本人旅行者は、当然のことだが、浦井の素性を知りたがったが、浦井は適当にあし

らった。仮に浦井の話を聞いて力を貸そうという人があっても、新しい堅固な「城」の

中に居る八重子を引き出せるものではない。

弘子の死からの連想だが、交通事故でも起って、八重子の新しい夫とその子が死んで

しまい、八重子ひとりが残る。そうした事態でも起らぬことかと、夢のまた夢のような

ことを夢見て、ひとり下唇を嚙む。

日本にもレストラン・シアタができ、ショウを見せるホテルもふえているという。だ

が、まだまだ浦井がフルに活躍できる舞台ではなさそうである。帰国すれば、ダンスの

お師匠さんとして老けこむ他ないであろう。

日本にその日が来るまで、浦井はメキシコで踊り続けるつもりである。自由に仕事が

できるし、自分も踊れる。どこまで続くか、踊って踊って踊り抜いて行こう――。

ある夜、ショウが終ると、浦井はまた客席から呼ばれた。日本人の客だという。

ショウの間は舞台だけ残して場内は暗くなっており、どんな日本人が来ているのかよ

くわからなかったが、男二人女一人のその席近くへ来て、愕然とした。

男の一人は赤間、そして、いま一人は望月。女は黒眼鏡を外した。

「しばらくね」

笑って手をのばす。天城ミナであった。フラッシュが光った。クラブの雇いの鼻髭（はなひげ）のカメラマンである。　　続けて二度三度とシャッターを切った。

浦井は罠（わな）を感じた。怒りが体中にこみ上げた。「天城ミナ、愛人とメキシコへ逃避行！」そうした週刊誌の大見出しが目に見えるようであった。「メキシコからの愛は届かず、そのつくられた醜聞だけが、また八重子に届くであろう。「まあ坐（すわ）れ」と望月。「オリンピックの取材に来られたんでね」と赤間。コップを差し出し、ビールを注ぐ。

浦井は拳（こぶし）をにぎりしめた。怒りで声が出ない。

おれをしゃぶりつくすために、とうとうメキシコまでやってきた。この黄色い月光族、

黄色い守銭奴（マネー・グラバー）、黄色い食人種——

浦井はコップをつかむと、ビールを二人の頭上に浴びせかけた。赤間は避けようとして椅子ごとひっくり返った。ミナはボーイの陰にかくれる。ビールの泡を浴びたまま、望月だけが笑いすましていた。笑っていたのは、マスコミという怪物だったかも知れぬ。

浦井は、身を翻（ひるがえ）してカメラマンを追った。とにかくフィルムを取り戻さねばならぬ。その鼻髭のカメラマンは、それまで時と処（ところ）を構わずシャッターを切って、客に売りつけていた。ショウの感興を削（そ）ぐこと甚（はなは）だしいので、浦井

はマネジャーにかけ合って、ようやくショウの間だけは撮影をやめさせるのに成功した
ところである。

もっともカメラマンは、その怨みというより、金に買われてのことであろう。浦井が
買うといえば、法外な値をふっかけるであろう。その上、こっそり望月たちに売る可能
性がある。そうである以上、いま腕ずくででも、フィルムを奪っておく他はない。

浦井は鼻髭を追った。椅子が倒れる、壜が割れる、客は総立ちになる。

客商売の身でそういうことをすればどんな結果になるかは、浦井にもわかっていた。
折角組合のない国へ来たのに、マネジャーからマネジャーへの連絡で、メキシコ中のナ
イトクラブから締め出されるかも知れぬ。

そうは思っても、浦井はカメラマンを追う他はなかった。届くことのないメキシコか
らの愛のために。

手と足が四本も八本も欲しかった。一方でカメラマンを追いながら、他方では赤間と
望月をなぐりたい。ミナに帰ってもらいたい。

「待て！」

浦井は吠えながら、なおカメラマンを追い続けた。

堂々たる打算

1

支店長席の電話のベルが鳴った。

グレイス・ビル二十八階に在る三友商事ニューヨーク支店のオフィス。午後九時を過ぎているが、まだ日本人社員ばかり数人が残業していた。

そのいくつかの顔がふり向き腰を浮かせにかかるのを古屋は眼顔で制し、支店長席まででゆっくり歩いて受話器をとった。

古屋には電話の相手の見当がついていた。その時刻、支店長の下田が支店長代理である古屋に連絡してくることになっており、下田はまたその種の電話を、自分の居ない支店長席へまず掛けてくる癖があった。

「ハロー……」

古屋がわざと英語で受けにかかると、果して受話器の声は性急に遮った。

「あ、古屋君か。きみをわずらわせて悪いんだが、すぐに出かけて来てくれんか」

「どちらでしょう」

「いま、キクに居る」

キクは数の増えた日本料理屋の中でも、一、二を争う高級な店である。店の歴史は新しいが、女将がやり手で、板前を二人も日本から呼び寄せ、仲居も若いのを揃えている。その仲居の一人が下田の気に入りで、少し大事な客となると、下田はすぐキクへ案内する。

「では、そちらへ伺いましょう」

古屋は表情を殺した声で言った。

「いや、そうじゃないんだ」

下田はあわてて言った。気のきかぬ男だと、受話器の向うで下田が顔をしかめているのが、古屋にはわかった。

「もう食事は終ってね。どこかバーへでもと思ったら、お客さんはそのものずばりをたのむと言われるんだ」

古屋は黙っていた。

金髪の女を抱きたがる代議士や実業家は、いぜんとしてあとを絶たない。平林とかいう客も、そんな手合いの一人だったのかと、味気なく思った。

下田は続けた。

「そこへは、これからぼくがお連れする。ただ、平林さんは心細いから終るまで待って

いてくれと言われる。ところが、ぼくは九時半から領事館の連中と卓を囲まなくちゃな

らん。だから、案内するだけで、その後のお守りができん」

ポーカーか麻雀の約束でもあるというのか。それとも、キクのハマ子という仲居とど

こかで落ち合うつもりではないのか。

黙ったままの古屋に、下田は少し押しつけがましい口調になった。

「いいね、きみ。すぐにあそこへ直行して、お客さんの終るのを待って、ホテルへ送り

届けてほしい」

古屋は、ハイともハアともつかぬ声を出した。客の女遊びの終るのを、女の家の玄関

で待つ――ばかばかしい限りだが、はじめてのことではない。

ニューヨーク支店を訪ねてくる日本人旅行者を、ただ挨拶だけしておけばよいクラス

から終始面倒を見なくてはならぬ「最重要人物」（VIP）まで、本社は四種類ほどの紹

介状で区分してくる。平林は、そのVIPの客であった。

空港への出迎えからはじまり、見物・見学・遊興など、支店長が先頭に立って当たり、

希望とあらば、女の世話もしなくてはならぬ。そうした場合、あまり若い社員をつけて

やると気分を害される。客にも面子や羞恥があるからだ。むしろ同年輩の者が同行し、

同じように遊んだ恰好をして、いっしょに帰ってやった方が、好感を持たれる。ときに

共犯者めいた親近感さえ持ってもらえる。事実、古屋も、一、二度、ついでに女を抱い

たこともある。だが、大きく股（また）をひろげてベッドにひっくり返り、「カム・オン・ハニ
イ」などとやられると、何ともみじめで、このごろは玄関脇（わき）の部屋でただ酒をのんで待
っている。古屋自身にケイトという女ができてからは、よけい、その気がなくなった。

重い返事をする古屋に下田は重ねて念を押し、電話を切った。すぐに飛び出すのは、いまいま
しい。一服してからと思った。

古屋は自席に戻ると、ケントをくわえ、火をつけた。

オフィスの中は静かであった。遠い壁ぎわに在るテレタイプの音だけが聞こえてくる。

社員たちは、黙々と執務を続けていた。

古屋の眼は、デスクの列のいちばんはずれにとまった。受付のメアリイの席。デスク
の上のタイプが、珍しくカバーをはずしたままになっている。その日とりみだしたメア
リイの姿が、まだそのまま残っている形であった。

メアリイは赤毛でそばかすがあり、日本人社員たちは「人参（にんじん）」と呼んでいた。陽気な
娘で、けたたましい声でよく笑う。水爆が落ちても笑っているだろうと、うらやましが
る社員も居た。

そんなメアリイが、その日の昼近く、まるで別人に一変した。

メアリイは電話を受けながら、

「ノオ、ノオ！」

と、机をたたき出した。

ふざけているのかと思っていると、その声が叫びになり、泣き声になった。そして、電話が切れると、メアリイは髪の毛をかきむしりながら、声を立てて泣き出した。

社員たちは、顔を見合わせた。

メアリイをそれほど悲しませる事件があるのか、そんな男でも居たのかと、誰もが信じられないといった表情になる。オフィス中、総立ちにならんばかりであった。

泣きながら、メアリイはとぎれとぎれに叫ぶ。叫びの意味がのみこめたとき、オフィスの中は一度に静まり返った。

「わたしの兄が海兵隊にとられたの」

日本人社員の誰もが、慰める言葉を持たなかった。そこには日本人にはかかわりはなく、メアリイたちアメリカ人だけが落ちこむ深淵が口を開けていた──。

古屋は立ち上り、コートを身につけた。

窓の下に、ハイウェイを走る車の灯の連なりが見える。北寄りの空には、PANAMビルはじめ摩天楼の灯が、いつもと同じようにまたたいていた。この同じ夜をメアリイはどんな思いで送っているのであろうか。

古屋は社員たちに、手で挨拶しながら、出口まで歩いて行ったが、ふと思いついて、メアリイのデスクの前で立ち止まり、タイプライターにグレイのカバーをかけてやった。

メアリイの肩にそっとコートでもかけてやる思いで。

急行エレベーターの前に向かいながら、古屋は、にわかに怒りをおぼえた。

〈おれはこれから、女を買う男のお守りを——〉

そんなことをしていていいのか。なぜ、そうした愚行をくり返さねばならぬのか。

何者にとも知れぬ腹立ちが、こみあげてきた。

２

グリニッチ・ビレッジに近い三階建のハウス。

とりきめ通り、ツ・ツ・ツーと三度ブザーを押すと、鎖錠のかかったままのドアを細目に開け、メキシコ系の男が顔を出した。

古屋を見、その背後の闇に眼をやってから、鎖錠をはずして迎え入れる。

玄関脇のロビイに入った。

バーがあり、金髪と栗色（くりいろ）の髪の女が居た。ふり返ったが「ああこの男か」という風に、すぐ顔をそむけ、声もかけてこない。

「スカッチ・エンド・ウォーター」

バーテンに注文してから、腕時計を見た。午後十時。東京ではちょうど正午に当たる。

妻や子供はどうしているであろうか。スモッグに煙る東京の空に流れるサイレンの音が、ふと聞こえる気がした。

バーテンが半身をのり出すようにして、ささやいた。

「まだまだですよ。彼と彼女は、いまいちばんいいときで」

女二人も首をすくめて笑った。古屋が腕時計を見た意味をとりちがえていた。

時間をかけて二杯目の水割りをのみ終ったとき、女の声とともに横のドアが開いて、眼鏡をかけた小柄な東洋人が出て来た。

「三友商事からお迎えに」

そう言いながら客の顔をまともに見て、古屋はあっと思った。

輪郭はぼやけているが、見た顔であった。最近ではない。かなり以前。それでいて古屋にとって重大な意味を持っている人間の顔。忘れてはいけない顔。

「平林です。どうもお世話になります」

甲高い声で言って、客は歩き出した。

メキシコ系の男がドアを細目に開け、外の闇をうかがう。その手にチップをにぎらせ、古屋は平林をかばうようにして外へ出た。

車は二メートルほど先の歩道に寄せて止めてある。古屋が後ろのドアを開けにかかるのを遮り、平林は助手席にのった。たしかにどこかで見た顔だと思いながら並んで座っ

たため、古屋は平林をじっくり見直すわけにもいかない。

古屋は平林のホテルに向け、車を走らせた。

ブロードウェイに入り、しだいにすれちがう車の数がふえてくる。ネオンや水銀灯で、夜そのものが明るくなっていく感じである。

平林は黙ったまま、前を見つめている。

交叉点（こうさてん）で止まったとき、古屋はケントをとり出し、平林に向き直って、「いかがです」とすすめた。

「いや、わたしは吸いません」

平林は前を向いたまま答えたが、そのとき古屋は、平林が赤い大きな耳をしているのに気づいた。

赤い耳の男——。

古屋の胸は動悸（どうき）を打った。大事な思い出につながる男と思ったのは、当然であった。

平林は実は高山ではないか。古屋たちの仲間も警察もあれほど捜し求めていた高山が、この平林ではないのか。

そういえば、高山は当時も煙草（たばこ）を吸わなかった。配給になった煙草をプレミアムをつけて仲間の徴用工に売るというので、評判が悪かった——。

信号が変わっていた。古屋はあわててアクセルを踏ん後ろでクラクションが鳴った。

だ。

ヘッドライトの光が、太い矢のようにときどき眼を射してくる。古屋は平林の顔をもっとよく見たかった。先方から話さないのに女の感想など訊くのは失礼なのだが、

「どうでした。こちらの女は」

と、声をかけた。

「いや、まあ……」

平林は、うすく笑っただけで答を濁した。相変わらず横顔を向けたままである。

異様に赤い耳。眼鏡はあのころの黒い粗末なものとはまるで変わっているが、白瞳の多いよく動く小さな眼は、高山のものである。

〈あなたは、本当は高山さんではありませんか〉

〈戦争中、名古屋の航空機工場に動員されていたのを脱け出し、つかまって拘置所に入れられたが、また脱走してしまったあの高山なのでは——〉

単刀直入にそう訊いてみたかった。

当時まだ中学三年生だった古屋も、動員されて同じ工場で働いていた。古屋は事務所に配属されたが、納品伝票を帳簿に転記するだけの仕事がいやでたまらず、動員学徒にふさわしい仕事をと、志願して製造現場へ廻してもらった。

そうした古屋とほとんど入れ替りに現場から事務所へ廻されてきたのが、高山であっ

高山は日系二世ということであったが、日本語も達者で、よく本も読んでいた。一度、高山がその蔵書を工場へ持って来て、プレミアムつきで売ったことがある。古屋も小説を二冊ほど買った。それほど本のない時代でもあった。

もっとも、高山が事務所へ移されてきたのは、事務能力を買われたためではない。思想がよくない、現場に置いておいては工員たちへの影響が心配だから、監視の眼の届く事務所でということであった。そのため、事務所でも、一人だけ壁ぎわに小さな机を与えて坐《すわ》らされ、ろくな仕事もやらされていなかった。

その高山が、無届けのまま工場へ来なくなった。下宿からも姿を消した。

数日後、航空機工場はB29の空襲を受け、潰滅した。古屋たちは辛うじて工場の裏口から逃げのびたが、五十六人の学友をふくめ、女子挺身隊《ていしんたい》など百七十二人もの死者が出た。

古屋も事務所に居たら逃げおくれ、命の危ないところであった。

数日前に姿を消した高山と空襲を結んで、高山がスパイだったといううわさが流れた。スパイでないとしても戦争に背を向けた非国民であることはたしかで、見つけたらなぐってやると、古屋たちは殺気立った。

一月ほど後、高山が逮捕され、国家総動員法違反容疑で起訴され、拘置所に拘置されているというニュースが入った。

古屋たちはようやく溜飲を下げたが、それも束の間、今度は夜間空襲で拘置所が焼夷弾に巻かれたとき、高山は十人あまりの仲間といっしょに、正門から布団をかぶって逃げ出し、行方をくらませてしまった。

国をあげての戦争の最中に、一度ならず二度まで。

古屋たちの怒りは、再燃した。

人事課に頼んで、高山の写真を出してもらい、それをめいめいが鉛筆で手帖に模写した。耳を赤鉛筆で塗った仲間も居た。休日には、三人一組で人の出さかるところを捜し廻った。高山をつかまえて死者たちの霊前に連れて来なくては、勝てる戦争にも勝てぬという気がした。

ふいに終戦となった。学園に戻る。

戦争の無意味さを知るにつれ、その中に居たアメリカ生れの高山の気持も、少しはわかってきた。

それでもなお、高山を許せぬという気持は残った。

傷つきやすい年齢の出来事だっただけに、死んだ同窓生の話が出るごとに、高山のことが思い出されるのであった。

「どうしても彼をつかまえて見せる」と、沢という級友は、法学部を出て検事になった。日系二世とあって彼を大手を振ってまかり通れる時代にはなったが、東京方面へ移ったとい

う話があるだけで、高山は二度と姿を現わさなかった。

沢の話では、国家総動員法違反はともかく、脱走の罪が併合されているため、地検はいぜんとして高山の行方を追っているということであった。

ニューヨークへ赴任する前、古屋は久しぶりに沢に会った。沢は検事をやめ、銀座のビルに事務所を構える弁護士になっていた。そうしたところにも、歳月の推移が感じられた。

死んだ友人の話から高山の話が出ると、沢は苦笑した。

「とうとうおれは根負けしたが、地検はまだ追ってるよ」

古屋には意外な気がした。

戦争はすでに遠い。人々の怨念はうすれるが、それがいったん機構の上にのると、不動のものになってしまうのか。それとも怨念に共鳴する誰かが居て、ねばり強くしがみついているのだろうか。

「しかし、もう時効になってるのじゃないか」

古屋の問いに、沢は首を振った。「公判期日の召喚状を公示送達するということで、時効をはずしてきてるんだ」

「すると、彼はそこまで見抜いた上で、身を隠しているのかい」

「そうかも知れん。何しろ芯(しん)の強い男だ」

そして、沢はさらに思いがけぬことを言った。

「最近になってわかったのだが、高山スパイ説はでっち上げだった、ということらしい」

「それなら、なぜ脱走を」

「いや、それだから脱走したんだ。そんなうわさがまかり通った世の中だ。入獄したままなら、反論しても通らず、そのまま裁かれてしまう。それくらいならと、イチかバチかの気になって」

「……」

「そういう男だから、世が変わったからといって、大きな顔して出て来はしない。ふつうとはちがう形の強い男というのが、居るもんだよ」

沢は訳知り顔に言ってのけた――。

3

平林は、高山ではないのか。

古屋は苛立った。時間を稼ぐため、車の速度を気づかれぬように落とした。

三十一丁目、三十二丁目……。それでも車は流れ、平林のホテルの在る五十二丁目へ

と近づいて行く。ふだん走っているときとは逆に、交叉点の青信号がうらめしかった。

三友商事にとって、平林は「最重要人物」である。迂闊な風には訊けない。

どういう事業歴でそうなったかは知らぬが、平林は近く厚木に三十億をかけて一大ショッピング・センターをつくる。レジャー施設と流通センターを合わせたものだが、その建設工事から内装、その後の納品に至るまで、総合商社としては大きな商売のできる相手であった。

平林のアメリカ旅行は、巨大ショッピング・センターの視察という目的で、その平林をとらえようと、ニューヨーク駐在の各商社が手ぐすねひいていた。たまたま、三友建設がかつて平林の事務所を建設したという関係で、平林は三友商事の接待コースにのってくれたのだ。

その「最重要人物」の機嫌をそこねたりしては。

「お住まいは東京ですか」

「うん」

「東京はスモッグでたいへんだそうですね」

古屋は、さりげなく切り出した。まだるっこいが、感づかれぬように遠廻しに訊き出していこう。

古屋は、ちょっと間を置いた。

豆腐屋のラッパのようなサイレンを鳴らしながら、パトカーがすれちがった。

「東京は永いんですか」

「……うん」

いくらか声が小さくなった気がした。古屋は、すかさず言った。

「わたしは名古屋なんです。名古屋にずっと居ましてね」

横目で平林の表情をうかがった。

平林は前を向いたままである。それが表情をかたくしているようにも見えた。

古屋は構わず続けた。

「名古屋では空襲でひどい目に遭いましてね」

平林は何も言わない。

「戦争中はどちらで」

「え?」

平林は訊き返した。聞えているはずなのに、態勢を立て直すための反問に思えた。

平林は、東京に居たと言った。

「東京もたいへんだったでしょう」

平林はむっつりしていた。話に気の進まぬことがわかった。

三十八丁目、三十九丁目……。オペラハウスの前を過ぎる。タイムズ・スクエアの電

光ニュースのきらめきが見える。

こんなところで、何も古い戦争の話などと、一瞬、古屋も思った。

だが、やはり、さしさわりのない範囲でたしかめておきたい。訊くだけは訊き、言うだけのことは言ってしまいたい。永い間おし黙っていたものが一気に迸り出てくるようで、古屋は自分自身を抑え切れなかった。抑え切れぬ自分を肯定している自分があった。あれじゃ飛ぶわけがありません。その工場が、B29の空襲で……」

「わたしは飛行機工場で働かされていたんですよ。中学生に飛行機をつくらせる。

言いかける先を平林は遮った。

「戦争はもうごめんですな」

話の腰を折るような言い方であった。

古屋は言い過ぎたかと反省し、一方では、反応があったと思った。

もっとも、平林はすぐ続けて言った。

「イスラエルは戦争をやる気ですかね」

「……さあ、どうでしょう」

アラブとイスラエルをめぐる紛争がこじれ発火寸前と伝えられていた。ニューヨークでも、イスラエル・アラブ両派のデモや募金運動がはじまっていた。

折柄、劇場がはねる時刻。街には人が溢れていたが、その人混みの中で、夜おそいの

に星条旗を振って叫んでいる男の姿が見えたりした。
ブロードウェイから道を七番街（セヴンス・アベニュー）にとった。人波はまだ続いていた。

〈他に、うまく訊き出す方法はないか〉

古屋は焦った。口実を設けて車をどこかへ止めたいぐらいであったが、車は後から続いており、どこにもそうした場所はなかった。

そのままホテルへつければ、お別れである。次の日からの接待も下田支店長が自ら当ることになっている。

古屋は、すがるような思いで言った。

「どこかで一杯いかがです」

「いや、結構。疲れたので、やすませてもらいます」

きっぱり断わられた。

シャッターを下ろしたウルワースの前を過ぎる。

人通りは、めっきり少なくなった。ホテル・アメリカーナの大きな建物が、眼の前に迫っていた。

車を止めると、同時にドア・ボーイの手がのびた。古屋が車から下りて挨拶（あいさつ）する間もなかった。

次のチャンスを待つ他はなかった。

だが、そのチャンスは廻ってこなかった。

翌日、アラブ戦争の勃発が伝えられた。ユダヤ系も居るので、アメリカ人社員たちの間には動揺が起った。ベトナム同様、アメリカはアラブにも出兵し、二正面作戦の泥沼にはまりこむのではないかと心配する者もあった。

メアリィも出社したが、そうした話の中を縫い歩くだけで、仕事も手につかぬ様子であった。

だが、もっと落ち着かぬのは、下田支店長と古屋であった。原因はアラブ戦争よりも、平林に在った。

4

その日、約束の十一時に下田支店長がホテルへ迎えに行くと、平林は一片のメッセージを残し、すでにホテルから立ち去っていた。

「お世話になりました。都合で急にここを発つことになりました。いずれまた当方より連絡いたします」

書き置きは、それだけであった。ボーイやフロント係に訊ねてみたが、空港へ向かったのか、それとも他の日本商社の手で別のホテルへ案内されたのかも、わからなかった。

「いったい何事が起ったんだ。昨夜ぼくが別れるときは上機嫌だった。『明日十一時に

待ってますから』と、向うから念を押されたくらいだ」

帰ってくるなり、下田は禿げ上った額まで赤くして、古屋に言った。

その日の十一時までに起ったことといえばアラブ戦争だが、それが原因なら、少しは

三友商事に相談があったっていい。ことわらずに姿を消すのは、三友商事に対して何かふく

むところがあるにちがいない。それも、下田と居るときは上機嫌であったのだから、そ

れ以後の接待に落ち度はなかったのか。

下田は、古屋に対し、しぜん問責口調になった。古屋が女の家に着いた時刻からはじ

めて、ホテルへ送り届けるまでの経緯を訊く。訊かれたところで、古屋は、それまで

「最重要人物」を送ったのと同じ要領だったと答える他はなかった。

「途中で何かお客さんの気にさわることでも言わなかったろうね」

下田は、検事のように問いつめてきた。

「いや……」

古屋は首を振ったが、下田はたたみかけてきた。

「どんな話をしたのかね」

「格別の話は……。アラブ戦争が起りそうだということや……。それに、お客さんは無

口な方ですものね」

「無口？　そうかな」下田は首をかしげ「ぼくとはよく話がはずんだが。……きみは何

か彼を無口にさせたんじゃないか」

蒼く光を放つような眼で問いつめてくる。

下田は、機嫌のよいときは豪傑笑いなどして屈託ないが、へそを曲げると執念深い。

粘着質のところがあった。

だからこそ、商売のしにくくなったニューヨークで、なお成績を伸ばしているともい

える。

「アラブ戦争以外に何の話をしたんだ」

「……この前の戦争の話です」

古屋は面倒くさくなったし、その先で適当にとりつくろえると思った。

「どんな話だ」

「わたしが名古屋で空襲を受けた話や……」

「なぜ、そんな話が出てきたんだ」下田は古屋から眼を放さず、「平林さんは、おれに

はそんな話は何もされなかった。きみから持ち出したんだろう」

古屋はうなずかざるを得なかった。が、ひとつだけ訊いてみた。

「支店長は、平林さんの耳が赤いのに気づかれましたか」

「いきなり何の話題だ」

「実は戦争中、耳の赤いあの人によく似た人を知ってたものですから」

ここまで来た以上、洗いざらい話そうと、古屋は心にきめた。何か隠しているように思われては、おもしろくない。下田も同じ戦中派。ある程度わかってくれるだろうと思った。

古屋は手短に、平林こと高山のことを話した。

「何だって、きみはそんなことを！」

下田は声をはりあげた。

オフィス中の眼が、古屋に集まった。赤毛のメアリイまでが、あわれむように古屋を見た。

「これで平林さんを他社に取られるようなことになるなら、責任は挙げてきみに在る」

下田は古屋をにらみすえて言うと、大股にテレタイプのところへ歩いて行った。

5

平林の行先はわからなかった。

ニューヨークのめぼしいホテルに当ってみたし、シカゴ、ロサンゼルス、サンフランシスコ、ダラスの各支店にテレタイプを打ち、ホテルの日本人客をチェックするよう指

示したが、平林の名は出てこなかった。

それ以外の地方都市へ廻ったのか、日本へ帰ったのか、それともヨーロッパへ渡ったのだろうか。

下田支店長は不機嫌になり、古屋に当たり散らした。平林接待の首尾について、どう本社へ報告すればよいかと、古屋を責めたてる。

古屋は、複雑な気持であった。

最初は、自分が軽率だったと思った。「最重要人物」に対しては、私心をはさまず接すべきだった、と。

だが、そのうちに、あのこととはやはり言わずにはおれなかったと、思い直した。平林は会社にとっての「最重要人物」であるが、高山は古屋の少年期の「最重要人物」の一人である。一対一で向き合ったとき、たしかめずにはおけない相手であった。

それに、もし平林が高山であるならば、戦争中のことをまだ忘れずに居る人間が居ることを、思い知らせておきたかった。

古屋はまた、下田の問責の仕方にも、腹が立ってきた。

話題が多少不適当だったとしても、平林が姿を消したのがその話が原因だったかどうかはわからない。女と何かトラブルがあったためかも知れないし、女を抱かせてもらったことに負担を感じて早々に姿を消す人だってある。

その辺の事情を抜きにして、ただ古屋を責め立てるばかりが能ではあるまいと思うのだ。

わずかに救いとなったのは、アラブ戦争のせいで、支店全体があわただしい空気の中に巻きこまれていることである。

新たな引合(オファ)が来る一方、契約破棄(キャンセル)が出る。配船の手順が狂う。全体としてとくに売上げがふえるわけではないが、雑然とした活気につつまれていた。

新しい事態をどう読み、どういう手を打つかで、下田自身忙しく、古屋をなぶりものにしてばかり居るわけにもいかない。お互いに出かける用も多くなった。

そうした中で、古屋は取引先のシュタインというユダヤ人から呼びつけられた。東六十七丁目に在るクラブまで来るようにという。

シュタインは、中西部から南部にかけて大きなスーパー・チェーンを持つ資本家である。古屋はケイトの紹介で知り、ねばり強い交渉の末、ようやく日本製の雑貨、食品類を納入するようになっていた。チェーンが大きいだけに取引量も大きく、それは古屋がニューヨークに赴任してから獲得した最大の業績になっていた。

古屋は首をかしげながら出かけた。

それまでシュタインと会うのは、下町の三番街(サード・アベニュー)に在る彼のオフィスときまっていた。東六十七丁目といえば、資産階級の住むデラックス・アパートが並ぶ閑静な住宅街。

ケイトのアパートもそこから遠くない。

シュタインの私宅に呼ばれると思えばおかしくないが、それがクラブだという。

用件もわからぬままに、古屋は車を飛ばした。オフィスを後にするのは、救いでもあった。

シュタインの指定したハウス・ナンバーに在る建物は、中央公園（セントラル・パーク）を見下ろす真珠色のきれいな高層アパートであった。

指定通り急行エレベーターに乗り、最上階の三十二階で下りた。

少し先にクリーム色の大きなドアがあり、「会員専用（メンバーズ・オンリー）」とだけ書いてあり、クラブの名前も何もない。

小さな押釦（おしボタン）を探して押す。

壁の向うから返事があった。やがてドアが開き、長身のボーイが出迎えた。

視できる風で、古屋は棒立ちになった。

一歩踏み入れ、クリーム色の壁なのだが、向う側からはこちらの姿が透

そこは、三十二階と三十三階の二階を抜いた吹き抜けになっており、高い天井には宝石屑（ほうせきくず）をちらしたようなライトがきらめいている。広々とした床には、毛足の深いグリーンの絨毯（じゅうたん）が敷きつめられ、色とりどりの花と熱帯植物が置かれ、噴水の在る泉（いずみ）まである。

ところどころに豪奢な長椅子（ながいす）や寝椅子（ねいす）があり、恰幅（かっぷく）のよい何人かの年輩の男が、ある

者はガウン姿で、ある者は半裸体で、休んだり寝そべったりしている。

連結された数台の小型テレビを、見るともなしに見ているのだ。　通りすがりに見たそのテレビの映像は、テレビ放送局のものではなく、数字ばかり並んで出ているのもあれば、証券取引所の一郭らしい風景の出ているのもある。

奥にはさらに別の部屋がいくつも並んでおり、そのどこかにサウナ・バスもあるらしく、湯上がりの光沢のよい肌をした半裸の男が、ゆったりした足どりで出て来たりした。

シュタインは、ガウン姿で公園寄りの窓ぎわの寝椅子に居た。オフィスで会うときとは別人のようにのんびりした表情で、眼の下に垂れた袋が、ひとまわりたるんだ感じである。

「ここは？」

まわりを見渡しながら、古屋は思わず訊いた。

「わたしたちの安息所だ」

シュタインは短く答える。

「わたしたち？」

おそるおそる訊き返すと、シュタインは二重にも三重にもなった厚い顎（あご）で、天井の一角を指した。

そこには、あまり大きくないイスラエル国旗が星条旗と並んで下がっていた。

〈ユダヤ人の金持たちの集会所なのか〉

古屋は、まわりの風景の意味が、一度にわかる気がした。

おとなしくシュタインに向き直り、

「御用件は何でしょうか」

「きみたち、今度の戦争をどう思う」

シュタインは、いきなり浴びせかけてきた。

古屋には答の用意がなかった。

「……平和に話がまとまるようにと願ってましたが、残念です」

シュタインはうなずいたが、すぐ続けて、

「それで」

と、先を促す。

「どういうことでしょうか」

「この戦争に対して、きみたちはどういう態度をとるつもりか」

古屋は返答に窮した。

〈そうだ、この人たちにとっては自分たちの戦争であったのだ〉と、あらためて思った。

戦争が起ってからも、三友商事のオフィスの中では、アメリカ人社員たちの気分は別として、社員たちは、この引合をどうする、あの契約破棄（キャンセル）は、といったその場その場の

処理だけに明け暮れていた。

戦争に対する態度などというものを、じっくり考える空気はなかった。それは三友商事ニューヨーク支店だけのことでなく、日本の本社も、あるいは日本の外交さえも、そうした姿勢であったかも知れぬ。

シュタインの鳩色の瞳が、またたきもせず古屋を見つめる。いい加減な答は許さぬという眼の色である。

古屋は息苦しくなった。

「わたしたちの国は、国際連合を通じて……」

言いかける先を、シュタインは断ち落とすように、

「わたしは、日本の大使と話しているのではない。きみの会社の態度について訊いているのだ」

「……」

「はっきり言いたまえ。きみの会社は、アラブにつくのか、イスラエルにつくのか」

有無を言わせず迫ってくる。返事は一つしかない。

シュタインは、いまの古屋にとって「最重要人物」である。その機嫌を損じてはならぬ。一瞬だが、古屋は平林の顔をにがにがしく思い出した。

それに、三友商事全体としてはともかく、ニューヨーク支店に関する限り、ユダヤ系

との取引はアラブ系相手に比べれば、圧倒的に多かった。

「……もちろん、イスラエルの側につきます」

古屋は、自分に言い聞かせるように答えた。

「よろしい」

シュタインは腹にひびく声で言ってから、

「それではイスラエルにつく証拠として、アラブ系各社との取引を全面的に中止してもらいたい」

シュタインは、精神的な支持や曖昧な応援を指しているのではなかった。やはり、ユダヤ人だと思った。

「三友商事がアラブ系のどの会社とどういう風に取引を中止したか、その具体的なリストを出してくれ」

隙を与えず攻め立ててくる。

「本社との打合せもあることだろうから、もちろん今日明日とは言わない。だが、必ずそのリストを持って来てもらう。さもなければ、きみの社との取引は全面的に破棄する」

「それは必ず……」

シュタインの瞳の光が、そこではじめてゆるんだ。

「日本の商社がどういう風に動くか、われわれは大いに関心があるのでね」
「われわれ」という複数形の言い方に重みがあった。ユダヤ系資本家たちの団結を匂(にお)わせていた。

わざわざそうしたクラブに古屋を呼びつけた意味が、ようやくのみこめた。広いクラブの中は、噴水の音と、時々咳払(せきばら)いが聞えるだけで、静まり返っていた。外部の音は、一切聞えない。

その静けさの中で、古屋はそこに居る幾人ものユダヤ人たちが分厚い胸を耳にして、古屋の答に耳を澄ましていたのを感じた。

辞去しようとすると、シュタインは思いついたように団扇(うちわ)のような手を上げて、古屋を呼び止めた。

「たしかきみは西九十何丁目とかのリバーサイドに住んでるね」

「はい……」

「今度の日曜日、リバーサイドをイスラエル支持のデモが行進する。ついでがあったら、応援してやってくれ。なに、それは声援だけでいいんだ」

シュタインは顔の肉を皺(しわ)だらけにして笑った。

ふたたびボーイに案内されて戻る。歩いている中(うち)、古屋の体まで静かな緑に染まりそうであった。

クリーム色のドアが、古屋の背後で音もなく閉じた。

急行エレベーターを待つ間、古屋はなぜシュタインが自分の住居を知っているのかと思った。古屋自身が話したおぼえはなかった。ひとつの可能性は、ケイトが漏らしでもしたかだが。

眼に見えぬ巨大な網を上からかぶせられたような感じで、古屋は気が重かった。それに会社にとって、また一つ悪いニュースを持ち帰ることになる。

6

報告を聞くと、下田支店長はまるで古屋がまた失態でもしでかしたように声を上げた。

「きみはそんな約束を！」

古屋としては大事な客をつなぎとめようとしたまでで、怒られる筋合いはなく、とにかく、本社と至急連絡をとり、何らかの対策をとってくれるようたのんだ。

下田は返事をしなかった。ニューヨーク支店長としては上申しにくい事項であろう。

古屋が重ねてたのむのと、

「適当にあしらって、とにかく引きのばすんだ」

古屋の顔も見ないで言う。そんなあしらい方ひとつわからぬのかと、鼻先で冷笑していた。

だが、古屋としては、あしらうあしらわぬの問題ではない。シュタインの瞳の色を思うと、いい加減なことではすまされぬ。

古屋は額に手を当てた。

平林を失い、さらにシュタインを失うとき、自分への評価はどうなることであろうか。

もやもやした気分の持って行き場がない。古屋は、その夜、ケイトのところへ行ってみようと思った。

九時ごろ社を出ようとすると、下田が古屋を斜めに見上げて言った。

「イーストへ行くのか」

万事見透しだぞと言わんばかりであった。

「ユダヤ女には手を出さぬ方がいいな。交戦国の一方に加担することになる」

冗談のつもりだろうが、古屋は愉快でなかった。

〈ハマ子のような日本女ならいいのですか〉

と、切り返したかった。

だが、切り返しても無駄であろう。下田はハマ子にもてることを、むしろ自慢にして

いた。

ニューヨーク暮しの日本の男の数は、何千人にも上ろう。その中で、高級料亭の限ら
れた若い女性にもてるということを、男の勲章のように考えているのだ。

日本から社員が赴任して来る毎に、下田はニューヨークでの女性心得を得々と説く。

コールガールは金がかかりすぎ、病気の心配もある。といって、素人の女性には、一
切手を出してはならぬ。一時の浮気のつもりでも、婚約不履行とか貞操蹂躙とかいって、
膨大な慰藉料を要求される。結婚して別れれば、終身、生活費を送ってやらねばならな
くなる。

セミ・プロの女性も同様である。愛とか結婚とかは禁句。ドライに金だけのつき合い
だと言い聞かせておかねばならぬ。それでも、婚約不履行で訴えられる。日本人の男を
カモにして、慰藉料や生活費を稼ごうとする女たちが居るからだ、と。

社員は、がっかりする。

「それじゃ結局、ここでは女と関係するなということですね」

下田は笑ってつけ加える。

「まあ、その後は腕次第。ごく少数ながら後くされなくつき合ってくれる女性も居る」

その「ごく少数」が、ハマ子のような女性と言いたいのだ。

ハマ子には、日本駐留の海兵隊員だったボロスという夫がある。いまは小さな工場で

働いているが、酒のみで、どうしようもないらしい。そのため、ハマ子が料亭キクに働きに出ている。ボロスにさえ知られなければ、浮気の相手としては心配がなかった。

古屋の愛人のケイトは三十六歳。早く死別した前夫との間に二人の子がある。その資産は、亡夫の遺産を彼女なりの才覚で運用して殖やしてきたものである。女だてらに投資で食ってきただけに、ケイトは利にさとく、経済に明るい。

古屋がケイトを知ったのは、ケイトの投資先の信託会社が三友商事のあるグレイス・ビルに近く、昼食どき、イタリア人経営のピザ屋で卓を隣合わせたのが、きっかけであった。

古屋にケイトという女があると知ったとき、下田は啞然とした顔で言ったものだ。

「こともあろうに、ユダヤ女と……。骨までしゃぶられて日本へ帰れなくなるぞ」

古屋にはケイトはそういう女性に思えなかったが、そう言われれば、それならそれでいいと内心、開き直った。

古屋も、役所勤めの妻を日本に残してきている。もともと気性の強い妻がそれを望んだためだが、古屋自身も単身赴任を機に心の整理をつけるつもりになっていた。

このため、ケイトに結婚を迫られるなら、妻を離別して、アメリカ人の夫になってもよい。金髪の妻にしゃぶられるものならしゃぶられて、ニューヨークに果てるのも、一

つの人生だとも思っている。

三友商事は、Q大閥で占められている。古屋はQ大出ではなく、その上、最初から三友に入社したのでもない。吸収合併され、おくれて社員となったいわば外様の身である。本社に戻っても、たいした出世は期待できなかった――。

ケイトは、赤いチョッキを着たダックス・フントを抱いて出迎えた。金髪だが、眼鏡をかけ、地味な顔立ちである。

片手に犬を抱えたまま、ケイトは古屋に接吻した。

ケイトのアパートにはいくつもの部屋があり、ハイスクールに行っている子供たちとは、顔を合わせないで済む。二人は客間でグラスを手にしながら話した。

ケイトは、アラブ戦争のことは口にしなかった。関心がないのかと訊くと、

「あんなもの、すぐ片づくわ」

何でもないことのように言う。

幼いときナチスに追われ、苦しい目をしてアメリカに逃げて来た彼女としては、戦争のことは考えたくもないといった風にもとれた。

古屋には、シュタインの要求という問題があるが、そのことを話しても、ケイトは、

「シュタインらしいわね」

と、言ってのけるだけであった。

古屋にとっては大問題である。その大問題である所以（ゆえん）を説明するのだが、英語ではニュアンスが伝わらないのか、ケイトは一向に話にのってくれない。

相談相手になり忠告もしてほしいのだが、ケイトは、

「あの人たちの愛国心も、最後は利益に通ずるのよ」

と、他人事（ひとごと）のように言う。

古屋は思い出して、ケイトがシュタインに古屋の住所を教えたのではないか、と訊いてみた。

ケイトは首を横に振った。

「わたしがそれを教えたところで、なんの利益が得られるかしら」

シュタイン自身が調べたのであろう。シュタインの力について考えだすと、気が重くなるばかりであった。

古屋はまた、ケイトに平林のことを話してみた。

胸の中にたまっていたものをケイトに分かち合ってもらいたかったのだが、ケイトの反応は予想とはちがっていた。

「その人の立場は、ナチス・ドイツでのわたしたちユダヤ人の立場に似てたのね」

むしろ、高山の脱走に同調する口ぶりであった。気に入らぬ女ではあるが、まだ日本の妻の方が、古屋の気

持がわかってくれそうに思えた。

寝室に移った。

しばらく会わなかったので、ケイトの方が積極的であった。シェードのあるランプの下で象牙色に光る肌に汗がにじんだ。泣声に似たうめきを上げ、足をからめてくる。果てると、ケイトはそのまま全裸で眠りに落ちていった。あたたかな軀と寝息。そこには、まぎれもない人生の時間があった。

いつもは妊娠をおそれてビデに走るところだが、古屋はゆり起す気にもなれなかった。

　　　　　7

ウエストサイドの安宿。

もう五十年も前に建てたかと思われるホテルである。月極めにすれば、部屋代は安くて済む。このため長期滞在客が多く、アパートの感じになっていた。古屋の隣室にも、喘息病みの老人がひとり暮ししている。待っているのは、天国からの迎えだけのようだ。

次の日曜日、ゆっくり朝寝した古屋は、十時過ぎに起き、隣室の喘息の発作の声を聞きながら、ひげをそっていると、ドアをノックする者があった。

　訪問客の約束はないし、日曜日はメイドも休みである。首をかしげながらドアを開け
ると、思いがけず、スラックス姿のケイトが立っていた。胸に花束を持っている。

　ケイトは、のび上って接吻した。

　若々しく新鮮に見えた。花を持って訪ねてくれたということで、よけい甘く若く感じ
たのかも知れない。

　だが、花の件は古屋の思いちがいであった。

　ケイトは狭い部屋の中を見廻しながら、古びた椅子に坐ったが、

「イスラエル支持行進を見に来たのよ」

と、花束をそっとサイド・テーブルの上に置く。古屋にくれるのではなく、行進に投げるためであった。

「あなたも行くでしょ」

「そうだなあ……」

　古屋が気のりしない返事をすると、

「シュタインさんも歩くのよ」

「ほう……」

　シュタインの鳩色の瞳、肉の盛り上がった顔が、威圧的に大きく浮かび上ってきた。

　それでは行かねばなるまいと思った。

古屋が身支度する間、ケイトは坐ったままクールをふかして待っていた。日本の女な

ら、ベッドでも直してくれるところだがと、古屋は思った。　妻のことを思い、またハマ

子に愛されている下田のことをうらやましく思った。

リバーサイド・ドライブには、すでにかなりの人が出て、行進を待っていた。

やがてマーチの音が近づき、先駆の騎馬警官が姿を見せた。　続いて、飾り立てた幾台

ものオープン・カー。　大きな星条旗とイスラエル国旗の列。　幾組も次々とくり出して来

るバトンガールやブラスバンド。　イスラエルをたたえ、アラブやナセル大統領を攻撃す

るさまざまのプラカード。　制服の警察官の集団。ニューヨーク市警に属するユダヤ人警

官の大群である。

沿道の群衆から、さまざまな声がかかる。テープや花がとぶ。

ケイトも知人を見つけては、何度か呼びかけ、花を投げた。

その後ろ姿が、古屋には遠いものに思えた。　彼女も所詮ユダヤ人。　自分とは別世界の

住人なのだと、身にしみる思いがする。

興奮の波に入って行けず、ぼんやり突っ立っていると、ケイトが戻って来た。

「じきにシュタインさんが来るわ」

「わかるのか」

「在郷軍人グループの中ですもの。　教えてあげるわ」

「在郷軍人……」

つぶやいていると、ケイトが古屋の腕をつかんだ。

「ほら、あそこよ」

星条旗を構え、カーキー色の軍服をまとった年輩者の一団。いかめしい顔をそろえたその最前列に、あのシュタインが歩いていた。肥った体に軍服は窮屈そうだが、しっかりした足どりで歩いて来る。

叫び声とともに、ケイトは走りだして花を投げた。

シュタインは、にっこり笑った。

古屋もあわててケイトを追って走り、手を振った。何と叫んでよいのか、声は出ない。

シュタインは、灰色の眉を上げた。

〈おお来てくれたのか〉

見開かれた鳩色の瞳が、満足そうに、そう言っているようであった。

在郷軍人グループは遠ざかった。

シュタインに認められてよかったと、古屋は安堵した。ケイトに感謝する気にもなった。

ベンチに腰を下ろす。ケイトも寄り添って坐った。

行進はまだ続いていた。

「ずいぶん大きな行進だね」

「そうよ。ニューヨークには、わたしたちの仲間が二百万人も居るんですもの」

二百万といえば、ニューヨークの人口の何割に当たるだろうか。人種の坩堝といわれる都会の中で、最大多数を占める民族であろう。しかも、ただ数だけでなく、抜群の経済力を持っている。

ユダヤはニューヨークを押えている。ユダヤの巨大な手、無数の手で、古屋は首根っ子を押えられている気がした。

そう思って周囲を見直す。

行進する大集団。手を振る老人、若い母親、とび廻る子供、乳母車の赤ん坊……。すべてがユダヤ系なのであろう。犬までユダヤの息をしている。

古屋は、あらためてシュタインの要求のこわさを思った。

在郷軍人グループはその日の行進の中の中枢であり、その先頭で胸をはっていたシュタインは、ユダヤ系の中でも「最重要人物」に見える。

シュタインは「われわれ」という言い方をしたが、もしシュタインが機嫌をそこねれば、「われわれ」であるユダヤ系関係のすべてにひびが入ることになろう。古屋は、郊外のブロンクスに在る支店長社宅へ車をとばして催促したい気がした。

早急に手を打たなくてはならぬ。

三友商事にとって、シュタインが最も大手のユダヤ系であったが、他のユダヤ商社か
らも同種の要求がいくつか出てきていた。

だが、下田は煮えきらなかった。未だに本社に連絡をとっている様子がない。一日の
ばしにのばしている。ユダヤ系を見くびるというより、そうした話を受けてきた古屋へ
の軽悔がまだ感じられた。

行進は終った。散りはじめた人々にまじって、二人も歩き出した。

ケイトは古屋の手をとりながら訊いた。

「アラブ戦争は、日本の株価にいくらかひびいたかしら」

ケイトのそうした質問には馴れていたものの、並木道を歩く愛人同士にふさわしい話
題ではない。

古屋が小さくうなずくのを見て、ケイトは続けた。

「どんな株が動いたの」

「さあ……」

「船株、それとも石油株？」

そうした話をしながら、ケイトは古屋のホテルに向かって行った。

まわりの部屋部屋に気のひける思いをしながら、古屋は起きぬけたままのベッドでケ
イトを抱いた。

古いベッドはしきりにきしんだ。声をあげるケイトの口を、古屋は思わず手で押えた。

隣室では、老人がまた喘息の発作を起していた。

ぐったりしているケイトの耳もとに、古屋はささやいた。

「ビデはない。シャワーででも洗ったら」

ケイトは、うすく眼を開き、首を横に振った。そして、両手を伸ばすと、古屋の首を巻き、

「もういいの、そんな心配しなくて」

「……どういう意味なんだ」

「わたし、あなたの赤ちゃんを生みたいの」

古屋は唖然とした。思わず上体をひき離し、訊き直した。

「何と言ったんだ」

「赤ちゃんを生んでもいいと思っているの」

「しかし……」

「いいのよ、心配しなくて。あなたは、別居している奥さんと法的に別れる手続きさえとればいい。他の心配は要らない」

ケイトは、まるで既定のことのように話を進めていく。

古屋は狼狽して訊き直した。

「つまり、きみはぼくと結婚するということか」

「もちろん、そうよ」

「しかし……」

次の言葉が出なかった。

下田の注意が思い出された。このことを知ったときの下田の顔。完全に身のおきどこ

ろがなくなる古屋――。

「それにしても、どうしてぼくと」

「あなたを愛しているからよ」

ケイトは問答無用の返事をし、顔を起して古屋の口を吸った。

古屋は啞然とした。ただ一人の味方に、いきなり匕首を突きつけられた気がした。ケ

イトもまた、ニューヨークの女であった。女には、いつも結婚のことが念頭に在った。

もちろん古屋も、ケイトとの仲が浮気だけで何の後くされもなく片づくと、割り切っ

ていたわけではない。万一、結婚を迫られたら、結婚しても構わぬと思いはした。

だが、それをケイトからこんな風な形で持ち出されようとは……。

ニューヨークの女と結婚し、ニューヨークに落ち着く。古屋は黄色いアメリカ人にな

る。ユダヤ系のアメリカ人仲間に。

つい少し前、眼にしたばかりのユダヤ人の群像が生々しくよみがえってきた。ケイトと結婚するということは、あの世界に入ることだ。星条旗やイスラエル国旗をかかげ、バトンガールに続いて行進することだ。それが自分にできるのか——。

古屋は、そして、ふいに平林こと高山のことを思い出した。日本の中の二世。同じ民族なのにそれでも白い眼で見られ——。

そうした古屋の思いにも気づかず、ケイトは言った。

「日本人の頭脳は優秀だし、ユダヤ人の頭脳も優秀。きっと、すぐれた子供が生れるわ」

仰向いたまま、うっとりした眼でケイトは続ける。

「日本のハイスクールで、英語はまちがいなくトップの成績になるでしょう」

古屋はまた愕然とした。

「日本のハイスクール？」

「そう」

「しかし、きみはここでぼくと結婚して……」

ケイトは、その先を引き取って言った。

「そして日本へ移り住むのよ。東京がいいわね、活動的で」

「なんだって」

「どうしておどろくの。わたし、日本へ行くわ。わたしが日本国民になるのよ。おかし

くはないでしょ」

「うん……」

「日本人の妻になれば、日本国籍が取得できるはずよ。わたしは日本に帰化して日本国

民になる……」

ケイトは、うたうように言った。

古屋は、声も出なかった。ケイトと結婚する破目になれば、ニューヨークに縛りつけ

られるものと思いこんでいた。

古屋がニューヨーク駐在ということだけではない。ケイトはデラックスなアパートの

一ブロックを所有し、かなりの資産がある。金髪の二人の子供も居る。それに何よりケ

イトはニューヨークの投資市場で生きており、そこにしっかり確立した生活の場がある。

ニューヨークでのケイトに比べれば、日本での古屋は、根無し草のようなものである。

日本に何物も持たぬ古屋が、ケイトに寄生する形で黄色いニューヨーク市民になるのだ

と思いこんだのは、当然のことであった。

「きみには、ニューヨークに資産もあり、活動の場もある。それをすてて日本へ行くと

いうのか」

ケイトはうなずいた。

「もちろん、そうです」

「しかし、折角ここまで築いてきたものを——」

ケイトはうすく笑った。

「あなたは、わたしの資産運用のことを心配してるのね。でも、それなら逆よ」

「逆とは？」

「こちらでは、そろそろ投資のおもしろみがなくなってきたの。それに、伸びるべき企業は伸びきってしまい、有望な投資先がめっきり減ってしまったの」

ケイトは、まっすぐ古屋の眼を見て言った。その瞳の色がシュタインと同じ鳩色であることに、古屋はそのときはじめて気づく思いがした。

「これからの投資市場は、日本だと思うの。あなたにもいろいろ教えて頂いたし、わたし自身勉強した結論が、そうだわ。アメリカに居ては、自由に日本の株が買えない。日本に行ってやれば、はるかにうまく資金を活かせると思うの」

「きみは投資のために日本へ？」

「正確にいえば、日本国民として自由に日本で投資をやって暮したいのよ」

「アメリカ国民をやめてまで？」

「そう。アメリカは好きだけど、もう以前ほど魅力がなくなったわ」

「すると、きみにとって国とは——」

ケイトは、うすく目を閉じ、首を横に振った。〈話したくない〉と言わんばかりであった。

イスラエル国旗や星条旗に手を振っていたケイト。そのケイトが、今度は日の丸に手を振るというのか。

古屋の腋の下を冷たい汗が走り落ちた。

古屋は、日本の一流商社の支店長代理。うだつは上らない。年輩は適当、性格はおとなしい。しかも、妻とは不仲。相手としては好条件であった。

こちらがへっぴり腰の浮気のとき、向うには堂々たる打算——。

いまとなって自分の迂闊さを呪っても、もう間に合わない。

下田支店長の顔が、眼の先にちらついた。どれほど冷笑してもし足りぬといった顔。スマートに浮気をたのしみ、常に安全圏の中に居る下田。その下田が、うらめしい。下田がもてるのは、社用のおかげでもある。その辺の事情を素通りして、ただ得意気な下田が憎かった。

古屋の気持は屈折した。下田を無傷で居らせたくはない。少しは似た苦しみの中へ引きずりこまなくては。破れかぶれの気持であった。

古屋は、ボロスの勤務先を知っている。ボロスに二人の浮気を教えてやりさえすれば

……。

8

アラブ系との経済断交はどうなったかと、シュタインから催促が来た。イスラエル支持行進のときのことなど、とっくに忘れてしまったかのようであった。

古屋は下田をつついたが、

「まかしておけ」

と下田はとり合わない。

「商社に態度(アティチュード)や政策(ポリシー)はない。ただ戦略(ストラテジー)あるのみだ」

などとも言った。つまり、その場その場をごまかして切り抜けて行け、ということであろう。万一、シュタインが契約破棄してくるなら、それは挙げて古屋の不手際(ふてぎわ)のせいと報告しそうであった。

イスラエル軍の快進撃は続いていた。

機械化兵団はたちまちシナイ半島を席巻(せっけん)し、スエズ運河も制圧している。ベイルートへの爆撃もあった。

勝敗はすでに明らかであったが、ニューヨーク街頭ではイスラエルへの募金が続き、イスラエル支持の演説がさかんである。新聞には巨大な献金額が発表され、イスラエル

従軍美談が報道される。

まるでニューヨークをあげて、イスラエルの銃後と化した感じであった。アラブの勝てるはずがない。経済戦についても、同じことが言えぬだろうか。やはり、早く態度を明らかにしておかなくては——。

くり返し下田に説くのだが、相手にされなかった。

支店長の下に次長が居る。実際の権限を持つのはその二人だが、次長は支店長と同意見であった。支店長代理と名のつく者は古屋の他にも居たが、それはただの肩書に近く、年輩者への敬称ともいえた。

支店の仕事量がふえているため、祝祭日である三軍記念日にも、日本人社員は総出で机に向かっていた。

その日、ビルの下の　五番街　を在郷軍人を中心とした華やかな大行進が通った。ビルからは、紙吹雪を散らしてやるのが習わしである。窓を開けて、のぞく。

沿道の人垣と、飾られた星条旗の列。カーキー色の大集団が行進する。はるか眼下なのだが、昂然たる歩きぶりなのがわかる。

「弱い兵隊のくせに、何が在郷軍人だ」

下田が大きな声で言った。

アメリカ兵は弱いというのが、下田の持論であった。中国からフィリピンへ転進、迫

撃砲弾で負傷した戦歴を踏まえて言う。アメリカが勝ったのは物量のおかげで、兵隊が強かったためではない。バタアンでは七万もの兵力がありながら降伏したではないかなどと。

「在郷（ベテラン）軍人がなんだ」

下田はまた腹立たしそうに言った。いつも以上に感情がこもっていた。

古屋は心の中で笑った。電話の効果があったと思った。

ハマ子の夫のボロスが、下田をおどしてきている。ボロスかららしい電話をにがい顔して受けている下田の姿を、古屋は二度見ている。

ハマ子から手をひくか。それとも、トラブルをひき起すのを承知で、なお浮気を続けるか、下田は迷っていた。

下田の迷いに比べれば、もちろん古屋の悩みは大きい。ケイトはときどき会社にも電話をかけてくるようになった。二人の仲を周知のものとするために、公然と姿を現わそうとしている感じであった。

そうした一日、日本の沢から航空便が来た。

あの夜、平林と別れた後、古屋は高山らしい男と会った旨の短い手紙を書き投函（とうかん）しておいたが、それに対する返事である。

〈もし高山がつかまるなら、国家総動員法違反については免訴。脱走については、懲役

一ー二年。初犯なので執行猶予がつくだろう。結局、実刑は受けないことになる〉

古屋は、ひとり苦笑した。いまとなっては、その程度のことなのか。思いつめ追って

きたつもりのものに、肩すかしを食わされた気がした。

〈ただ、その男に社会的地位があれば、懲罰の意味はある〉

と、沢は付記してきたが、これまた、いまとなっては〈懲罰〉と考えられるか、どう

か。古屋には、もはやそれ以上追って行く気力がなかった。

それより、現金にも、目先のことが気になってきた。

平林が他社の線にのり、ショッピング・センターの仕事も他社にとられるとなれば、

古屋は責任を問われる。そうでなくとも、シュタインやケイトなど目前のことで公私と

もどもに八方ふさがり、動きのとれぬ状態である。すばやく幻影をふり払い、そうした

局面に向き合う他はない。

9

事態は思いがけぬ方向に急転回した。

ある夜おそく、ハマ子の肩を抱きながらキクから出て来た支店長下田は、そこに待ち

伏せていたボロスに襲われた。

ハマ子は悲鳴を上げて逃げた。ボロスを止めるとか、下田をかばうより、自分がやられると思ったのである。ボロスの乱暴のこわさを知っていた。

ボロスは、下田の胸ぐらをつかむと、太い右腕をくり出して撲った。かなり酔っていた下田は、防ぎも逃げもできなかった。

ボロスも酒が入っていたが、大男なので力は強い。猛烈なパンチをくって、下田はコンクリートの路上に転倒した。その打ちどころが悪く、夜明け方、救急病院で死亡した。

弱いはずのアメリカの兵隊に、簡単に撲り殺されてしまったのである。「女に手を出すな」という教訓を、身をもって示す結果にもなった。

本社との間に、あわただしく連絡がとられた。

国際電話で次々に指令が来、さらに、海外担当重役が北廻り便で飛んで来た。機敏に、次々に手が打たれた。

その結果、下田は酔っていて転んで死んだことにし、ボロスの罪は問われないことになった。

会社は体面を重んじた。

支店長ともあろう者が、三角関係で撲り殺されたと報道されては、社の信用にかかわる。それに事情が事情なだけに、陪審制のアメリカの裁判では、ボロスはたいした刑も受けないという判断もあった。

放免されてほっとしたのは、ボロス当人だけではない。古屋も胸をなで下ろした。

ボロスが取り調べを受ければ、それまでの経緯を細かく追求されるであろう。名を隠した日本人らしい男が、電話でハマ子の浮気を教えてくれたという話も出る。その裏づけ捜査でもはじまったら、古屋も圏外に居られなくなる。

そうした事態になろうとは、古屋も思ってもみなかった。撲ったボロスさえ、殺意はなかったかも知れぬが、結果的には、下田を殺すきっかけとなったわけである。

そうしたとりこみの最中、思いがけず下田宛に平林から手紙が来た。発信地は東京。東京で平林が他人名義で所有していた食堂ビルに火事があり、焼死者二人が出た。そのため急遽帰国し、事後処理に当たっている。事情が事情だけにことわりを言うのがおくれ、申訳なかった。いずれ再訪の折はよろしく——との趣旨であった。

その手紙を誰よりも読ませたい下田が死んでしまっていたのが、古屋は口惜しかった。平林は高山でないのかも知れない。再訪の機会があるというなら、そのときにもう一度たしかめさせてもらおう。

10

だが、古屋はニューヨークで平林の再訪を待ち受けることができなくなった。支店長

交代に伴う人事異動があり、転任ときまったからである。

新しいポストは、カイロ支店次長。体のよい左遷であり、その移動についてはすでに下田が内申していたようであった。

下田が生きていて、古屋がケイトとの問題を相談したら、下田はすでに左遷の腹案がありながら、恩着せがましくカイロ転勤をとりはからってくれたであろう。

だが、いずれにせよ、古屋はケイトの打算から逃れることができた。

仮にケイトに訴えられても、会社をやめ、日本へ住めなどという女の側の一方的な要求が通るはずがない。といって、結婚早々、妻が別居を望むというのでは、夫婦関係不在になる。

シュタインのところへ転任の挨拶に行くと、シュタインはしぶい顔をして言った。

「日本人には叶わん」

アラブ戦争は、イスラエル圧勝の下に休戦に入っていた。下田のひきのばし戦術で、三友商事としてはアラブ関係取引先を失わずに居る中に、戦争が終ってしまったのである。いまとなっては、シュタインたちも報復手段はとれない。

「アラブはわれわれに降参したが、われわれはいつもきみたちの打算に降参している」

シュタインは、おもしろくもなさそうに言った。

「ケイトもがっかりしている。われわれにとっての最悪の敵地であるカイロへ逃げこま

れようとはね」

シュタインやケイトの眼には、会社ぐるみの打算に映っているようであった。

ケイトはメキシコへ行っていた。新しい投資先でも物色しているのだろうか。

滞在先のホテルを調べ、二度にわたって国際電話を掛けたが、通じなかった。ケイト

からも掛けて来なかった。

古屋はニューヨークを発つ日時を電報で打っておいた。

ケイトとの結婚の罠から逃れようとはしていたが、そのため古屋がカイロ転勤を工作

したのではない。その辺のことを説明した上で、後味の悪さを残さず別れたかった。

出発の日、ケネディ国際空港には、数人の日本人社員の他、アメリカ人社員を代表し

てメアリイが見送りに来た。

「きみもそろそろ結婚するんだね」

古屋が言うと、

「徴兵の心配がない日本人と結婚するわ。その候補者リストから一人減ったのは残念だ

けど」

メアリイは古屋をにらみ、高い声で笑った。

カイロでまた二、三年送ることになろう。妻を呼ぶことを考えようかと、古屋はふっ

と思った。そこまで心が弱まっていた。もちろん身勝手な古屋の頼みに妻が応じてくれ

るとは思えず、さすらいはまだまだ続く。

搭乗案内のアナウンスがはじまった。

ケイトは、ついに現われなかった。　未練はあったが、犬を抱いたまま接吻されるより

はましだと心を慰め、古屋はゲイトに向かって歩き出した。

（「小説エース」）昭和四十四年四月特大号）

解　説

佐　高　信

数多くの城山作品の中で、私はこれまで、『真昼のワンマン・オフィス』(新潮文庫)が一番好きだった。この『イースト・リバーの蟹』に劣らず、人生の深みを感じさせる。

私は、城山作品を二つに分けたことがある。『真昼のワンマン・オフィス』や『望郷のとき』(文春文庫)のような、いわば「無名の人間」を描いたものと、『落日燃ゆ』や『男子の本懐』(ともに新潮文庫)のような「有名の人間」を描いたものとにである。

城山は「誤解された人間」に興味があるというが、同じように「誤解された人間」であっても、「無名の人間」と「有名の人間」とでは、その受ける衝撃に違いがあるだろう。

国の政策が変わって「鎖国」となり、そのまま異国メキシコに朽ち果てた百余名のサムライたちを描いた『望郷のとき』と「戦争犯罪人」とされた広田弘毅を描いた『落日燃ゆ』の間には、やはり大きな落差がある。

「棄てられる者」から「棄てる者」への、描く人物の変化は、著しい重心移動ではないか。

あるとき、私は城山にそう尋ねた。

「ウーン」

と城山は唸って考え込んでいたが、ひとまわり以上下の私の青っぽい問いかけにも、そう

した反応を示すところに城山の誠実さが表れている。

ともあれ私たちはここに単行本未収録(『堂々たる打算』のみ一九七五年日本経済新聞社刊

『堂々たる打算』に収録)の城山の新しい秀作を得た。城山が四十代の初めから五十代にかけ

て書かれたこれらの作品群には、ある種の気魄がこもっている。それ以後の城山作品にそれ

がないわけではないが、ここに収録された作品は枯れていないのだ。

巻頭の『イースト・リバーの蟹』は、「べとべとした人間関係」が、「生理的にきらい」な

商社の元副社長に生臭い出番がやってくる話である。どちらかと言うと、退くことを好むこ

の元副社長は、社長の椅子をめぐる争いから降りて、いまは別のポストに就いていた。とこ

ろが、社長となった同期の人間の急死で、再び闘争場裡へ引き出されようとする。

自らのスタイルだけにこだわって、「上るのもいっしょなら、奈落の底へ落ちるときも副

社長といっしょ」と自分をかついできた部下たちを見捨てていいのか。

揺れる気持がないわけではない。

「成功は欲望・決断・献身によって得られる」という言葉に、なるほどと思ったこともあっ

た。しかし、もうひとつ、自分はギラついた気持になれない。

「いま一度野心を」と促しに来た部下に、ふだんは客を喜ばせない妻が「イースト・リバーの

蟹」を料理して、振舞う。

他人を押しのけてまで社長になろうとしない人間を、ただ、さわやかな人間として称揚していないところに、この作品の価値がある。現実にはこうした人たちが退いたために、多くの日本企業がバブルにまみれてしまったのではないか。この作品が書かれた八四年には、まだ、バブルは始まっていないが、ある意味で、これはその危機を予知した作品だとも言える。

「テーブルの上では、蟹の甲羅揚げがすっかり冷えてしまっていた。もはや、ばらばらとなった小さな死体でしかない。オレンジ色は褪せ、にじんだ緑もどす黒く変色している。大都会の傍を流れる川の生物にふさわしい醜い死体である」

詩人としてその文学活動を開始した城山の鋭い言語感覚によってキャッチされた蟹のイメージが、いわば鮮やかな〝効果音〟となってこの作品を盛り上げる。こんな傑作がいままで眠っていたことが信じられないほどである。

この元副社長は娘に「どうしてもということが言えないひと」と決めつけられるが、城山自身がそうであり、退くことを好むだけに、この作品も『週刊宝石』に発表されたままになっていたのだろう。

城山三郎は「裏切られた皇国少年」である。『戦後余生の連続として』というエッセイに「裏切りへの予感、死への予感。人生にたよるべきものなく、人生に多くを望んではならぬと、自分自身に言い聞かす。万事に禁欲的、逃げ腰の生き方が、性に合う。強く信じられない、強く生きられない。その実感をどうしようもない」と書いて

いる。

また、あるインタビューでは、

「取り残された人とか遅れた人とかの哀感のようなものが好きです。作品で言うと、シャーウッド・アンダーソンの『ワインズバーグ・オハイオ』。オハイオ州にある架空の町が舞台で、野心のある者はニューヨークなどの大都会に出ていって、取り残された人びとのしんみりとした物語。こういうの好きなんですよ。同時に一方では、無償の行為というか、償われなくても自分の信じることには命まで投げ出すというような生き方をした人に強く惹かれます」

と語っている。

もちろん、城山には、そういう生き方をする人間に対する怒りもある。

『遠くへお仕事に』は、それまでは「上等の兵士」だったその銀行員が小さく〈反逆〉しようとする物語である。「逃げることがお仕事に」だったその銀行員は、異郷で偶然会った親友にこう言われる。

「きみが逃げれば逃げるほど、銀行は、いや、副頭取やその政治家たちは、たしかによろこぶだろう。彼等にしてみれば、きみがこのまま永久に帰って来ない方がいいわけだから。そうすれば、発覚した場合も、全くきみという一係長の非行のせいにすることができる」

残念ながら、日本の状況は十余年経っても少しも変わっていない。第一勧業銀行や野村証

券の総会屋への利益供与事件をみれば、この作品はいま書かれたと言われても違和感がない
ほど新しい。

『カルガリ駐在員事務所』には、冒頭、狼が登場する。動物園の檻の中の狼だが、城山と同
い年の、故藤沢周平は狼が好きだった。「パンダを見てもしょうがない」と藤沢はあるエッ
セイにも書いている。

司馬遼太郎と藤沢周平は非常に対照的な作家だと思うが、司馬と城山もまた違う。司馬は
「有名の人間」を描くことに疑問を持たなかったし、それに倦むこともなかった。しかし、
城山も藤沢も「皇国少年」として、殺される兵の立場に身をおかざるをえなかったがゆえに、
人を殺すことにためらいをもたなかったやに見える織田信長を好きにはなれない。敗戦の時、
十八歳だった城山や藤沢と、それより四歳上で士官でもあった司馬とは、そこが違うのであ
る。司馬はいわば「皇国青年」だった。

軍隊でも会社でも、往々、愚かなるトップによって "棄民" がつくられる。

『真昼のワンマン・オフィス』で城山はそれを『繁栄流民』と名づけ、「あとがき」にこう
書いた。

「日本経済の尖兵として海を渡った人間たちの運命は、処女作『輸出』以来、わたしの関心
をひき続けている。

日本とアメリカの真昼のようにまばゆい繁栄の中で、黙々と生き働く彼等。広大な大陸の
はずれに、ひとりだけで駐在する例も珍しくない。彼等は、その事務所を、半ば自嘲もこめ

て、「ワンマン・オフィス」と呼ぶ。深い孤独と隔絶。現代版の流民の生活である」

また、作中で、ある商社マンに、

「商社員は出征兵士と同じだ。声には出さぬが、水漬く屍、草むす屍の覚悟で出てきている
はずだ」

と叫ばせている。

専務にたった一度だけ反対したために、こうした「流民」の生活を強いられることになっ
たある男には、

「専務にとっては、一度反対したやつは、百回反対したのと同じなんだ」

「どうしても反対意見をいいたければ、会社をやめてもいい準備と覚悟ができてからにする
のだ」

と述懐させている。

『黄色い月光族』は会社からの「流民」ではない。やむをえずでもあるが、自らの意志でア
メリカにやって来たショウ・ダンサーが、さまざまな形でアメリカの現実にぶつかる話であ
る。成功物語ではないのに、ある種の爽快感が作品から匂ってくるのは、別れた妻への一途
な思いゆえだろうか。

『堂々たる打算』は、逆に、ユダヤ人女性の、まさに「堂々たる打算」を描いている。女性
を描くことの少ない城山にとって、その意味でこれは非常にユニークな作品である。

いずれにせよ、勢いの感じられるこれらの作品は、乾いた異国の風土を背景に、読者に生

きることの切なさと奥深さを吹きつけてくる。

（平成十年二月、評論家）

この作品集の単行本は平成十年二月飛鳥新社より刊行された。

城山三郎著　総会屋錦城
直木賞受賞

直木賞受賞の表題作は、総会屋の老練なボス錦城の姿を描いた株主総会のからくりを明かす異色作。他に本格的な社会小説6編を収録。

城山三郎著　役員室午後三時

日本繊維業界の名門華王紡に君臨するワンマン社長が地位を追われた――企業に生きる人間の非情な闘いと経済のメカニズムを描く。

城山三郎著　雄気堂々（上・下）

一農夫の出身でありながら、近代日本最大の経済人となった渋沢栄一のダイナミックな人間形成のドラマを、維新の激動の中に描く。

城山三郎著　ある倒産

定年を二年後にひかえた調査部長原口は、下請会社の専務へ出向を命じられたが……。倒産の裏面をあばいた表題作など8編を収録。

城山三郎著　乗取り

株の買占めによる老舗デパートの乗取り。金と若さだけを武器に、この闘いに挑む青井文磨。経済界をスピーディなタッチで暴く快作。

城山三郎著　毎日が日曜日

日本経済の牽引車か、諸悪の根源か？ 総合商社の巨大な組織とダイナミックな機能・日本的体質を、商社マンの人生を描いて追究。

城山三郎著　官僚たちの夏

国家の経済政策を決定する高級官僚たち――通産省を舞台に、政策や人事をめぐる政府・財界そして官僚内部のドラマを捉えた意欲作。

城山三郎著　素直な戦士たち

子供が生れる前から東大合格までのプランをたて、あらゆるものを犠牲にして突進する妻と、それに疑問を抱きながらも従わされる夫。

城山三郎著　男子の本懐

《金解禁》を遂行した浜口雄幸と井上準之助。性格も境遇も正反対の二人の男が、いかにして一つの政策に生命を賭したかを描く長編。

城山三郎著　硫黄島に死す

《硫黄島玉砕》の四日後、ロサンゼルス・オリンピック馬術優勝の西中佐はなお戦い続けていた。文藝春秋読者賞受賞の表題作など7編。

城山三郎著　冬の派閥

幕末尾張藩の勤王・佐幕の対立が生み出した血の粛清劇《青松葉事件》をとおし、転換期における指導者のありかたを問う歴史長編。

城山三郎著　落 日 燃 ゆ
毎日出版文化賞・吉川英治文学賞受賞

戦争防止に努めながら、A級戦犯として処刑された只一人の文官、元総理広田弘毅の生涯を、激動の昭和史と重ねつつ克明にたどる。

城山三郎著 **打たれ強く生きる**

常にパーフェクトを求め他人を押しのけることで人生の真の強者となりうるのか？ 著者が日々接した事柄をもとに静かに語りかける。

城山三郎著 **秀吉と武吉**
目を上げれば海

瀬戸内海の海賊総大将・村上武吉は、豊臣秀吉の天下統一から己れの集団を守るためいかに戦ったか。転換期の指導者像を問う長編。

城山三郎著 **人生の流儀**

一歩先んずる眼で企業と人間を捉え続ける著者の全著作から、その独特な人生哲学を伝える言葉374をセレクトしたアフォリズム集。

城山三郎著 **わしの眼は十年先が見える**
——大原孫三郎の生涯

社会から得た財はすべて社会に返す——ひるむことを知らず夢を見続けた信念の企業家の、人間形成の跡を辿り反抗の生涯を描いた雄編。

阿川弘之著 **米内光政**

歴史はこの人を必要とした。兵学校の席次中以下、無口で鈍重と言われた人物は、日本の存亡にあたり、かくも見事な見識を示した！

曽野綾子著 **夢に殉ず**

何物にも縛られず、奔放だが率直に生きる男。光と陰とが交錯したその人生模様の中に、魂の自由をありのまま見届ける、一大人間賛歌。

有吉佐和子著 **華岡青洲の妻**
女流文学賞受賞

世界最初の麻酔による外科手術――人体実験に進んで身を捧げる嫁姑のすさまじい愛の葛藤……江戸時代の世界的外科医の生涯を描く。

愛新覚羅浩著 **流転の王妃の昭和史**

日満親善のシンボルとして満州国皇帝の弟に嫁ぎ、戦中戦後の激動する境遇の障害を乗り越えて夫婦の愛を貫いた女性の感動の一生。

秋山駿著 **信　長**
野間文芸賞・毎日出版文化賞受賞

非凡にして独創的。そして不可解な男――信長。東西の古典をひもとき、世界的スケールで比類なき「天才」に迫った、前人未到の力業。

井伏鱒二著 **遙拝隊長・本日休診**
読売文学賞受賞

復員した元中尉の異常な言動を通して、戦争が強いる犠牲をあばいた「遙拝隊長」、休診の札を無視して訪れる庶民を描く「本日休診」。

井上靖著 **孔　子**
野間文芸賞受賞

戦乱の春秋末期に生きた孔子の人間像を描く。現代にも通ずる「乱世を生きる知恵」を提示した著者最後の歴史長編。野間文芸賞受賞作。

池波正太郎著 **真田太平記**（一～十二）

天下分け目の決戦を、父・弟と兄とが豊臣方と徳川方とに別れて戦った信州・真田家の波瀾にとんだ歴史をたどる大河小説。全12巻。

池宮彰一郎著 事変
——リットン報告書ヲ奪取セヨ

昭和六年、満州。政府の方針を無視した暴挙に出た関東軍を解体する為、驚くべき〈密命〉が"ある集団"に下された。傑作長編小説。

石和鷹著 地獄は一定すみかぞかし
——小説 暁烏敏(あけがらすはや)——
伊藤整文学賞受賞

愛欲の業火に身を焦がし続けた破格の念仏僧。そうだ。同じ地獄に、私も……。著者自らの苛烈な闘病を通して問う、信仰の赤裸々な姿。

遠藤周作著 王国への道
——山田長政——

シャム(タイ)の古都で暗躍した山田長政と、切支丹の冒険家・ペドロ岐部——二人の生き方を通して、日本人とは何かを探る長編。

江藤淳著 昭和の文人

平野謙、中野重治、堀辰雄。彼らは「昭和」の容赦ない苛烈を如何に生きて何に働哭し、どんな毒を含みながら何を書こうとしたか?

大岡昇平著 野火
読売文学賞受賞

野火の燃えひろがるフィリピンの原野をさまよう田村一等兵。極度の飢えと病魔と闘いながら生きのびた男の、異常な戦争体験を描く。

大佛次郎著 赤穂浪士(上・下)

四十七士の苦節と忍耐、対する吉良と上杉の苦悩を、スパイ合戦など多彩な事件で浮き彫りにする。独自の解釈と設定で描く忠臣蔵。

川端康成著　名人

悟達の本因坊秀哉名人に、勝負の鬼大竹七段が挑む……本因坊引退碁を実際に観戦した著者が、その緊迫したドラマを克明に写し出す。

河盛好蔵著　藤村のパリ
読売文学賞受賞

姪との「不倫」から逃げるように渡仏した島崎藤村。その生活ぶりをつぶさに検証し、一九一〇年代のパリを蘇えらせた、情熱の一書。

開高健著　歩く影たち

ヴェトナム・中近東・アフリカの戦場での苛烈な体験を深沈精妙なイメージの中に結晶させた中短篇集。川端賞の「玉、砕ける」等9編。

加賀乙彦著　永遠の都（一～七）
川端康成文学賞受賞作収録

昭和初期から敗戦を経て22年まで、永遠の都東京に生きる時田利平一族の戦争と平和。昭和史の真実を浮彫りにする自伝的長編全七巻。

海音寺潮五郎著　西郷と大久保

熱情至誠の人、西郷と冷徹智略の人、大久保。私心を滅して維新の大業を成しとげ、征韓論で対立して袂をわかつ二英傑の友情と確執。

倉橋由美子著　パルタイ
女流文学者賞受賞

〈革命党〉への入党をめぐる女子学生の不可解な心理を表題作など、著者の新しい文学的世界の出発を告げた記念すべき作品集。

車谷長吉著　漂流物
平林たい子文学賞受賞

書くことのむごさを痛感しつつも、なお克明
に、容赦なく、書かずにはいられぬことの業、
そして救い。悪の手が紡いだ私小説、全七篇。

久世光彦著　卑弥呼

どうしてもアレが出来ないカップルと、女性
のアソコの爽やかな呼び方をめぐると、気高
くも卑猥なビルドゥングス・ラヴ・コメディ。

栗田勇著　一遍上人
──旅の思索者──
芸術選奨文部大臣賞受賞

捨てる心をさえも捨ててはてた漂泊の日々。遊
行に生きて死んだ一遍の、広汎な念仏流布の
足跡をたどり直して肉薄する、生身の人間像。

神坂次郎著　今日われ生きてあり

沖縄の空に散った特攻隊少年飛行兵たちの、
この上なく美しくも哀しい魂の軌跡を書簡、
日記、遺書から現代に刻印した不朽の記録。

佐多稲子著　夏の栞
──中野重治をおくる──
毎日芸術賞・朝日賞受賞

1979年の夏、著者にとって人間的文学的
情熱を共にした友人＝中野重治は逝った。そ
の五十余年間の交遊を通して描く鎮魂の書。

新潮文庫
編集部編　百年目
──ミレニアム記念特別文庫──

な、なんと20回目の世紀末に出くわし、見
て聞いて、想い感じたことごと。その多様多
彩をつめこんだ一冊。頁を開いたが百年目！

新潮文庫最新刊

城山三郎著 イースト・リバーの蟹

ほろ苦い諦めや悔やみきれぬ過去、くすぶり続ける野心を胸の底に秘めて、日本を遠く離れた男たちが異郷に織りなす、五つの人生模様。

杉山隆男著 兵士を見よ

事故死の恐怖、強烈なGの圧迫。それでもF15のパイロットはなぜ空を飛ぶのか。体験搭乗して彼らの心情に迫る自衛隊ルポ第二弾！

高橋克彦著 鬼九郎五結鬼灯（ごけちほおずき）
——舫鬼九郎第三部——

徳川家光治世下、続発する怪事件の真相とは？ そして、天海大僧正から明される鬼九郎出生の秘密とは？ 好評のシリーズ第3弾。

南原幹雄著 謀将 山本勘助（上・下）

天下分け目の大いくさに、わが身を投じたい。武田信玄の将にとどまらぬ、その鬼才！ 謎の軍師・山本勘助、戦国の世を動かす。

山田太一著 逃げていく街

時代の感情を鋭敏にすくいとった作品世界で、私たちを揺さぶり続けてきた著者。折々の心の風景を、自他に容赦なく綴ったエッセイ集。

深田祐介著 美味交友録

料理店で出会った素敵な人々や、幼少時に初めて食べたアイス・キャンデーの想い出などを軽妙に綴った「人と食」のエピソード集。

新潮文庫最新刊

熊谷　徹著　　　　住まなきゃ
　　　　　　　　　わからないドイツ

理屈っぽくて合理的で知られるドイツ人。し
かしその素顔は多彩なものだった！ミュン
ヘン在住ジャーナリストの当世ドイツ事情。

六嶋由岐子著　　　ロンドン
　　　　　　　　　骨董街の人びと

欧州屈指の古美術商に職を得た著者が、人と
美術品を巡るドラマを描きつつ、英国人気質
を明らかにする。極上の自伝的エッセイ。

斎藤貴男著　　　　梶原一騎伝

スポ根ドラマ、格闘技劇画の大ブームを巻き
起こした天才漫画原作者の栄光と挫折。漫画
ファン待望の名著が、ついに復刊・文庫化。

佐藤昭子著　　　　決定版
　　　　　　　　　私の田中角栄日記

田中角栄は金権政治家だったのか、それとも
平民宰相なのか。最も信頼された秘書が日記
を元に、元首相の素顔を綴った決定版回想録。

内田康夫著　　　　皇女の霊柩

東京と木曾の殺人事件を結ぶ、悲劇の皇女和
宮の柩。その発掘が呪いの封印を解いたのか。
血に染まる木曾路に浅見光彦が謎を追う。

赤川次郎著　　　　不幸、買います
　　　　　　　　　―一億円もらったらⅡ―

ある日あなたに、一億円をくれる人が現れた
としたら――。天使か悪魔か、大富豪と青年秘
書の名コンビの活躍を描く、好評の第二弾！

新潮文庫最新刊

ISBN4-10-113526-3 C0193

イースト・リバーの蟹

新潮文庫　　　　　　　　　　　　し - 7 - 26

平成十三年三月一日発行

著　者　　城山　三郎

発行者　　佐藤　隆信

発行所　　株式会社　新潮社
　　　　　郵便番号　一六二―八七一一
　　　　　東京都新宿区矢来町七一
　　　　　電話編集部（〇三）三二六六―五四四〇
　　　　　　　読者係（〇三）三二六六―五一一一

価格はカバーに表示してあります。

乱丁・落丁本は、ご面倒ですが小社読者係宛ご送付
ください。送料小社負担にてお取替えいたします。

印刷・東洋印刷株式会社　製本・加藤製本株式会社
© Saburô Shiroyama　1998　Printed in Japan

ISBN4-10-113326-3　C0193